L'ÉLIMINATION

RITHY PANH

LA MACHINE KHMÈRE ROUGE, *avec Christine Chaumeau*, Flammarion, 2003 puis 2009.
LE PAPIER NE PEUT PAS ENVELOPPER LA BRAISE, *avec Louise Lorentz*, Grasset, 2007.

CHRISTOPHE BATAILLE

ANNAM, Arléa, 1993. (Prix du Premier Roman, 1993. Prix des Deux Magots, 1994.)
ABSINTHE, Arléa, 1994.
LE MAÎTRE DES HEURES, Grasset, 1997.
VIVE L'ENFER, Grasset, 1999.
J'ENVIE LA FÉLICITÉ DES BÊTES, Grasset, 2002.
QUARTIER GÉNÉRAL DU BRUIT, Grasset, 2006.
LE RÊVE DE MACHIAVEL, Grasset, 2008.

RITHY PANH
avec
CHRISTOPHE BATAILLE

L'ÉLIMINATION

GRASSET

Photo de la bande : © Richard Dumas

ISBN 978-2-246-77281-1

Duch : « Monsieur Rithy,
vous avez oublié un slogan encore plus
important : la dette de sang doit être
remboursée par le sang. »
Je suis surpris : « Pourquoi celui-ci ?
Pourquoi pas un slogan plus idéologique ? »
Duch me fixe :
« Les Khmers rouges, c'est l'élimination.
L'homme n'a droit à rien. »

A mon père Panh Lauv
A Vann Nath

Kaing Guek Eav, dit Duch, fut le responsable du centre de torture et d'exécution S21, dans Phnom Penh, de 1975 à 1979. Il explique avoir choisi ce nom de guérilla en souvenir d'un livre de son enfance, où le petit Duch était un *enfant sage*.

12 380 personnes au moins furent torturées dans ce lieu. Les suppliciés qui avaient avoué étaient exécutés dans le « champ de la mort » de Chœung Ek, à quinze kilomètres au sud-est de Phnom Penh – également sous la responsabilité de Duch. A S21, nul n'échappe à la torture. Nul n'échappe à la mort.

Dans sa prison du tribunal pénal parrainé par l'ONU (en fait CETC, soit « Chambres extraordinaires au sein des tribunaux cambodgiens »), Duch me dit de sa voix douce : « A S21, c'est la fin. Plus la peine de prier, ce sont

déjà des cadavres. Sont-ils hommes ou animaux ? C'est une autre histoire. » J'observe son
visage de vieil homme, ses grands yeux
presque rêveurs, sa main gauche abîmée. Je
devine la cruauté et la folie de ses trente ans.
Je comprends qu'il ait pu fasciner, mais je n'ai
pas peur. Je suis en paix.

Quelques années auparavant, pour préparer
mon film *S21 – La machine de mort khmère rouge*,
j'ai mené de longs entretiens avec des gardiens,
des tortionnaires, des exécuteurs, des photographes, des infirmiers, des chauffeurs qui travaillaient sous les ordres de cet homme. Très
peu ont fait l'objet de poursuites judiciaires.
Tous sont libres. Assis dans une ancienne cellule, au cœur du centre S21 devenu un musée,
l'un d'eux me lance : « Les prisonniers ? C'est
comme un bout de bois. » Il rit nerveusement.

A la même table, devant le portrait de Pol
Pot, un autre m'explique : « Les prisonniers
n'ont aucun droit. Ils sont moitié homme, moitié cadavre. Ce ne sont pas des hommes. Ce ne
sont pas des cadavres. Ce sont comme des animaux sans âme. On n'a pas peur de leur faire

du mal. On n'a pas peur pour notre karma. »
A Duch aussi, je demande s'il cauchemarde, la
nuit, d'avoir fait électrocuter, frapper avec des
câbles électriques, planter des aiguilles sous les
ongles, d'avoir fait manger des excréments,
d'avoir consigné des aveux qui sont des mensonges, d'avoir fait égorger ces femmes et ces
hommes, les yeux bandés au bord de la fosse,
dans le grondement du groupe électrogène. Il
réfléchit puis me répond, les yeux baissés :
« Non. » Plus tard, je filme son rire.

Je n'aime pas le mot « traumatisme », qu'on
ne cesse d'utiliser. Aujourd'hui, chaque individu, chaque famille a son traumatisme, petit
ou grand. Dans mon cas, c'est un chagrin sans
fin ; images ineffaçables, gestes impossibles
désormais, silences qui me poursuivent. J'ai
demandé à Duch s'il rêvait, la nuit, dans sa
cellule du tribunal pénal. Un homme qui a
dirigé un lieu comme S21, et, auparavant,
M13, autre centre de détention et d'exécution
dans la jungle, ne voit-il pas dans ses cauchemars les visages suppliciés qui l'appellent et
lui demandent pourquoi ? Comme celui de la

jeune et belle Bophana, vingt ans, torturée atrocement pendant plusieurs mois ?

Pour ma part, depuis que les Khmers rouges ont été chassés du pouvoir, en 1979, je n'ai pas cessé de penser à ma famille. Je vois mes sœurs, mon grand frère et sa guitare, mon beau-frère, mes parents. Tous morts. Leurs visages sont des talismans. Je vois encore mes neveux et ma nièce, affamés, quel âge ont-ils, cinq et sept ans, ils respirent mal, regardent dans le vague, halètent. Je me souviens des derniers jours, du corps qui sait. Je me souviens de l'impuissance. Des lèvres d'enfant closes. Duch a semblé surpris par ma question. Il a réfléchi, et m'a simplement dit : « Des rêves ? Non. Jamais. »

Si je ferme les yeux, aujourd'hui, tout me revient. Les rizières asséchées. La route qui traverse le village, près de Battambang. Des hommes en noir dans l'horizon brûlant. J'ai treize ans. Je suis seul. Si je garde les yeux fermés, je vois le chemin. Je sais où se trouve le charnier, derrière l'hôpital de Mong, je n'ai qu'à tendre la main : la fosse est devant moi.

Mais j'ouvre les yeux à temps. Je ne verrai ni ce nouveau matin, ni la terre fraîchement ouverte, ni le tissu jauni où nous roulons les corps. J'ai observé assez de visages. Ils sont figés, grimaçants. J'ai enterré assez d'hommes aux ventres gonflés, la bouche ouverte. On dit que leurs âmes erreront partout sur la terre.

A mon tour je suis un homme. Je suis loin. Je suis vivant. Je ne connais plus les noms ni les dates. Le chef tant redouté qui chevauchait dans la province ; la femme mariée de force ; les chantiers où j'ai dormi ; les haut-parleurs hurlant dans le matin. Je ne sais plus. Ce qui blesse est sans nom.

Aujourd'hui, je ne cherche pas la vérité mais la parole. Je veux que Duch parle et s'explique – surtout lui ; qu'il dise sa vérité ; son parcours ; ce qu'il a été, ce qu'il a voulu ou pensé être, puisque, après tout, il a vécu, il vit, il a été un homme, et même un enfant. Qu'en répondant ainsi, le fils de commerçant malhabile et endetté, l'élève brillant, le professeur de mathématiques respecté par ses élèves, le révolutionnaire qui cite encore Balzac et Vigny, le dialecticien, le bourreau en chef, le maître ès tortures, chemine vers l'humanité.

En 1979, j'atterris à Grenoble, où je suis accueilli par ma famille. Je ne raconte pas ce que j'ai traversé, ou à peine. J'écris un court texte en khmer sur ces quatre années. Ces pages d'autrefois s'envolent dans le temps. Je ne les verrai jamais plus. Parler est difficile.

J'entre au collège : je découvre le pays dont j'ai tant rêvé, et la liberté. Il fait froid et sombre. Je ne sais ni lire, ni écrire, ni parler français ou si peu. Je suis ailleurs. J'ai peu d'amis. Que dire, et à qui ? Très vite, je me tourne vers la peinture. Je copie. J'esquisse. Je dessine des barbelés et des crânes. Des hommes en tenue rayée. Des arches de métal surveillées par des chiens. Puis je me mets à la guitare ; et je découvre le travail du bois.

Un jour, un élève immense me coince dans un couloir et me donne un coup sur la tête. Ça fait rire ses copains. Il me tape une fois, puis deux, puis trois. Je le supplie d'arrêter, car au Cambodge, la tête est sacrée. Mais il continue. Je suis le dos au mur, et soudain tout bascule. Une force inouïe me vient aux mains, je me jette sur lui, à mon tour je cogne. Un voile tombe. L'instant d'après, j'ouvre les yeux : le type est à terre, recroquevillé, le visage en sang.

On me retient, des bras nouent les miens. Je respire mal. Je tremble.

Les mois qui suivent, par peur des représailles, je garde dans mon cartable un tube de métal enrobé de papier journal. Je n'en ai pas eu besoin, heureusement.

Ainsi la violence demeure. Le mal qu'on m'a fait est en moi. Il est là, puissant. Il me guette. Il faut bien des années, bien des rencontres, bien des larmes, bien des lectures pour le dompter. Je n'aime pas ce matin sanglant et, trente ans après, je n'aime pas le raconter : ce n'est pas la honte, c'est l'hésitation.

Le dessin et le bois me poussaient au silence. J'ai choisi le cinéma, qui donne le monde et la beauté, les mots aussi : je crois qu'il me tient les poings dans les poches.

Depuis cette époque, je me méfie de la violence. Je tiens les armes loin de moi. Et j'évite les cages d'escalier, les terrasses, les précipices, les vues imprenables, les falaises. Chuter est facile. Et j'ai déjà tant vécu. Sur un balcon, c'est plus fort que moi, je compte les secondes qu'il me faudrait pour toucher le sol. Mais je ne cède pas. Et je vais rencontrer Duch avec ma caméra, des centaines d'heures. J'ai besoin de me tenir face à lui. Peut-être le cinéma n'est-il qu'un prétexte pour l'approcher. Je veux que ceux qui ont commis ce mal le nomment. Qu'ils parlent.

Je n'avais pas prévu de faire un film sur cet homme, mais je n'aime pas son absence dans *S21 – La machine de mort khmère rouge,* qui est presque entièrement à charge contre lui : tous l'accusent. C'est comme s'il manquait une pièce essentielle à l'enquête : la parole de Duch.

Je revois les images jamais montées de *S21,* dont le tournage a duré trois ans. Je voulais arpenter cette histoire, mais aussi trouver la bonne distance : ni sacralisation ni banalisation. Je rencontre d'abord les tortionnaires chez eux. Je leur parle. J'essaie de les convaincre. Puis je les filme sur les lieux mêmes de leurs actes. Souvent je paye quelqu'un pour les remplacer aux champs, car le tournage peut durer plusieurs jours. Je les héberge et je les nourris. Parfois ils sont seuls. Parfois avec d'autres « camarades interrogateurs ». Ils se parlent, se confrontent. S'évitent. Je veux leur faire approcher et sentir la vérité, percer les petits mensonges, faire pièce aux grands. Puis ils rencontrent le peintre Vann Nath, un des rares survivants du centre, qui est calme et juste.

Filmer leurs silences, leurs visages, leurs gestes : c'est ma méthode. Je ne fabrique pas l'événement. Je crée des situations pour que les anciens Khmers rouges pensent à leurs actes. Et pour que les survivants puissent dire ce qu'ils ont subi.

Je pose les mêmes questions aux bourreaux. Dix fois, vingt fois s'il le faut. Des détails apparaissent. Des contradictions. Des vérités nouvelles. Leur regard hésite ou fuit. Bientôt, ils diront ce qu'ils ont fait. L'un d'eux se souvient avoir torturé à une heure du matin ? Nous nous retrouvons à cette heure à S21. Lumière artificielle. Chuchotements. Une moto passe. Autour de nous, les crapauds-buffles ; des frôlements dans la nuit ; une famille de hiboux.

Dans sa première version, un tortionnaire du groupe « mordant », à qui je montre la photo d'une jeune femme, la reconnaît : « Elle a avoué. Mais je ne l'ai pas touchée. » Une heure plus tard, il murmure : « J'ai pris une branche de goyavier. Je l'ai fouettée deux fois. Elle s'est pissé dessus. Elle a roulé par terre en pleurant. Alors elle a demandé un stylo. Comme elle écrivait trop mal, j'ai pris le stylo et c'est moi qui ai écrit sa confession. » On l'accuse – elle s'accuse – de sabotage : elle aurait injecté de l'eau dans les perfusions des malades ; souillé le bloc opératoire. Est-ce vraiment crédible ? Je vois le regard bas de cet homme, sa voix éteinte. Je ne le crois que partiellement. Il a été très violent avec cette femme : après trois jours, ses vêtements sont déchirés ; son visage fatigué. Elle reste un mois à S21.

Le même explique qu'il torturait des nuits entières ; qu'il s'endormait parfois avec son prisonnier. Imagine-t-on les fers souillés au pied des chaises en bois ? Le sommier métallique où s'est convulsé l'homme qui dort ? Les pinces, les barres, les aiguilles, les étaux ? L'odeur du sang ? Toutes les vingt minutes, Duch, ou son adjoint Mâm Nay, téléphonait au tortionnaire pour lui demander s'il progressait ; il lui donnait des indications. Et la torture reprenait.

Le même tortionnaire explique qu'il a obtenu, en plusieurs semaines, près de trente « confessions » successives d'un prisonnier. Chaque confession, d'une vingtaine de pages, doit être disponible en trois exemplaires. La plus importante sera dactylographiée. Folie administrative. Duch lisait en détail, et remettait au tortionnaire le texte annoté et souligné, avec des demandes d'éclaircissements, de nouvelles questions. Les séances reprenaient.

Dans mon bureau de Phnom Penh, les armoires de métal font un mur. Elles contiennent des lettres, des cahiers, des prises de sons, des archives, des statistiques éprouvantes, des cartes. A côté, un local climatisé contient les disques durs : les photos, les enregistrements de la radio, les films de la propagande khmère rouge, les témoignages devant le tribunal pénal. Tout le drame cambodgien est ici. Les Khmers rouges font tomber la capitale le 17 avril 1975. Quand ils sont chassés du pouvoir par les troupes vietnamiennes, en janvier 1979, on décompte 1,7 million de morts, soit presque un tiers des habitants du pays.

Comme autrefois, une grande pale brasse l'air étouffant. La ville vient jusqu'à moi, avec ses cris, ses klaxons, ses rires d'enfants, son activité. J'ouvre un épais dossier. J'observe les visages disparus. Certains me sont chers. Je connais leur histoire et j'ai lu leurs aveux. D'autres vont, viennent dans mes rêves, je ne sais toujours pas leurs noms. Que demandent les morts ? Qu'on pense à eux ? Qu'on les libère en jugeant les coupables ? Ou veulent-ils qu'on comprenne *ce qui a eu lieu* ?

Dans mes mains, une photographie un peu rayée, floue. Duch entre dans une salle de banquet et semble sourire à la dizaine de personnes attablées, qui ne le regardent pas. Il porte, comme nous tous à l'époque, un pantalon noir. Mais il a choisi une chemise gris foncé, me précise-t-il. Quel mystère : comment ce jeune homme tranquille est-il devenu un des grands bourreaux du XXe siècle ? Il semble entré par effraction. L'air de rien. Je l'imagine en 1943 : il a un an. Ses parents partent aux champs. Sa mère, khmère. Son père, chinois. Il grandit dans la province de Kompong Thom, aux côtés de ses sœurs. Elève brillant, il est repéré, et poursuit sa scolarité à Siem Reap puis à la capitale, au prestigieux lycée Sisowath. L'année du baccalauréat, il obtient la deuxième meilleure moyenne du pays. Choisit l'enseignement des mathématiques, rencontre ainsi Son Sen, qui sera plus tard son chef et un membre du comité central. Il engage toute sa vie dans la révolution et dans l'idéologie.

Considéré comme le meneur d'une émeute dans la province natale de Pol Pot (il est alors directeur adjoint de collège), Duch est emprisonné trois ans. Libéré en 1970, il prend le maquis. Un an après, il est nommé à la tête des « services de sécurité » de la Zone Spéciale, dans la jungle. Il dirige jusqu'en 1975 le centre M13, où sont sans doute torturés puis exécutés des milliers de Cambodgiens. C'est là qu'il affine son organisation et développe sa méthode : « En 1973, au bureau M13, je recrute des enfants. Je les choisis selon leur classe : paysans de la classe moyenne ou pauvre. Je les mets au travail, je les amène ensuite à S21. Ces enfants sont forgés par le mouvement et par le travail. Je les contrains à garder et à interroger. Les plus jeunes s'occupent des lapins. Garder et interroger passe avant l'alphabétisation. Leur niveau culturel est faible, mais ils sont loyaux envers moi. J'ai confiance en eux. »

Duch circule d'abord à vélo, puis sur une moto Honda. Des paysans d'Amleang racontent : « Quand on entendait la chaîne de son vélo, on se cachait. »

Au premier plan, une femme semble allaiter un nourrisson. Je ne vois que son dos raide, sa nuque, ses cheveux courts. Duch est formel : c'est le banquet de mariage du camarade Nourn Huy, dit Huy Srê, responsable de S24 – une annexe de S21. Par la suite, le camarade sera exécuté, ainsi que sa femme, sur ordre de Duch. Je repose la photo. Même détaillée, une biographie reste une énigme.

Pendant le tournage de *S21 – La machine de mort khmère rouge*, à la fin des années 1990, nous sentions les Khmers rouges proches, aux aguets. Qui peut croire un seul instant qu'ils ne sont plus dans le pays ? Un jour que je filmais un rescapé du centre Kraing Ta Chan, plusieurs hommes sont arrivés avec des machettes et des haches. Très en colère. Que faire ? Résister. Je n'ai pas lâché ma caméra et j'ai crié : « Je sais qui vous êtes et où vous avez travaillé. Je vous connais tous. Toi, tu étais tortionnaire dans ce centre. Ne nie pas. Toi, tu étais gardien. Toi, tu étais messager. Vous croyez que je viens comme ça, sans me préparer ? Vous croyez que je ne vous connais pas ? » Ils hésitaient. Mon équipe et Vann Nath se tenaient à mes côtés. Ils ont posé leurs machettes et nous avons parlé. A la fin de cette rude journée, j'ai pu filmer le bourreau, seul.

Bophana puis *S21* ont été diffusés au Cambodge. Le pays a pu, comme moi, arpenter la mémoire. Il m'a semblé que ces films mettaient fin à un épisode de ma vie.

Le procès de Duch a commencé : il me semblait lointain. Je pensais être en paix. J'avais prévenu les juges cambodgiens et internationaux du tribunal : les images feront l'histoire, elles diront au monde ce qu'ont fait les coupables, elles diront l'arrogance, la rigidité, les mensonges, la méthode, la ruse – pensez à Nuremberg ! Souvenez-vous du dirigeant nazi qui se lève et répond mécaniquement « Nein », avant de se rasseoir : une telle séquence vaut toutes les analyses. Il y a une pédagogie et une universalité de l'image.

Les premières auditions de Duch ont commencé. J'en ai lu la transcription et elles m'ont tourmenté. J'ai compris que je ne pouvais pas me tenir à distance.

Je ne cherchais pas à comprendre Duch, ni à le juger : je voulais lui laisser une chance d'expliquer, dans le détail, le processus de mort dont il fut l'organisateur.

Alors j'ai demandé aux juges l'autorisation de mener des entretiens avec lui. J'ai rencontré l'homme au parloir, et j'ai posé les deux principes de mon projet : il ne serait pas seul dans mon film – d'autres témoignages seraient utilisés, possiblement contradictoires ; et tous les sujets seraient abordés avec franchise. J'ai résumé : « Je serai direct et franc avec vous. Soyez direct et franc avec moi. » Il m'a répondu avec une sorte de tranquillité sentencieuse : « Monsieur Rithy, nous travaillons tous les deux pour la vérité. »

Premier jour de tournage. Duch quitte sa cellule en voiture blindée, escorté par une quinzaine de gardes. Il me retrouve dans une pièce du tribunal.

Moi : Comment voulez-vous que je vous appelle ? Kaing Guek Eav ?

Duch : Non. Appelez-moi Duch.

Moi : Duch ? Votre nom de S21 ? Vous ne voulez pas revenir à ce que vous étiez avant ?

Duch : Non. Pourquoi voulez-vous que je me cache ? Je suis Duch. Tout le monde me connaît sous ce nom et m'appelle ainsi. Appelez-moi Duch.

Alors j'ai chancelé.

Il avait vu mes documentaires et n'ignorait donc rien de mon travail. *S21* lui déplaisait, car il y est mis en cause de façon très précise. En me parlant de *Bophana*, qui raconte le destin de la jeune fille torturée parce qu'elle écrivait à son amoureux dans une langue romantique et codée, Duch a eu cette remarque : « Si vous croisez l'oncle de Bophana, demandez-lui pardon pour moi. J'ai pitié de cet homme, je lui ai fait du tort. C'est moi le responsable. Et si vous voyez la mère de son mari, dites-lui que Duch reconnaît le mal qu'il a fait. » Puis : « Je ne reconnais pas tout ce qui est dit dans votre film, mais j'endosse toute la responsabilité en tant que directeur de S21. » Duch veut croire que la rédemption s'achète avec des mots. Il conteste la vérité historique ; puis il affirme endosser toute la responsabilité. Autrement dit : je nie ce que vous affirmez, mais je porterai le fardeau de votre vérité.

Je lui ai répondu : « Monsieur Duch, vous endossez trop. Ce n'est pas ce que nous demandons. A chacun sa responsabilité, puisque les tortionnaires, eux, reconnaissent la leur. Et racontent. Ce que je veux, c'est comprendre ce qui s'est passé à S21 pendant ces années. Je veux que vous nous expliquiez tout : votre rôle, le langage utilisé, l'organisation du centre, le système des aveux, l'exécution. »

Après une dizaine d'heures d'entretiens, Duch m'a confié, exalté : « J'ai eu une révélation, ce matin, pendant ma prière. J'ai été submergé. J'ai compris : il faut que je vous parle. » J'ai répondu : « Je ne demande que ça. » Et nous avons continué.

Par la suite, il m'a demandé en riant : « C'est combien l'heure ? » Je n'ai pas compris. Ou plutôt : j'ai fait celui qui ne comprenait pas, car je savais qu'un autre avant moi avait payé une forte somme en dollars. Rendre visite au bour-

reau ; au monstre ; à l'homme : quelle excitation... Il a répété distinctement : « Monsieur
Rithy, c'est combien l'heure ? » J'ai répondu :
« Je ne peux pas vous payer. Et je ne veux pas.
Je fais mon travail de cinéaste. Vous connaissez
mes conditions. Je vous filme et je suis seul
responsable du montage. C'est à prendre ou à
laisser. » Il n'a pas insisté : « Je plaisantais.
Vous savez, les journalistes payent un des photographes de S21 jusqu'à 200 dollars pour une
interview ! Et il dit pas mal d'idioties ! » Duch
rit aux éclats.

Pendant des mois, je l'ai questionné sans
peur et sans haine. Au début, il se lançait dans
de longs développements sur les écrits de
Marx, le matérialisme historique et le matérialisme dialectique. Puis il a discouru sur son
parcours, sur sa méthode, sur la doctrine
khmère rouge. Il a esquivé. S'est contredit. Sur
les photographies, il semblait d'abord ne pas
reconnaître ses victimes, ni ses camarades
tortionnaires. Pas même Tuy, réputé pour sa
cruauté, qu'il forma à M13, et fit venir avec
lui à S21, Tuy le spécialiste des « cas difficiles ». Peu à peu, Duch a retrouvé la parole,
mais il ne restait que le mensonge.

Un jour que je lui apporte le dossier de Bophana – le dossier d'interrogatoire le plus épais de S21, il se trouve en difficulté. Son écriture est partout. On perçoit encore, après trente ans, le combat, la haine, la perversité, une excitation qui ressemble au désir. Comme je lui réclame des précisions, des détails, il m'interrompt de sa voix douce : « Monsieur Rithy, je vous remercie de m'avoir apporté un dossier aussi complet. Merci beaucoup. » Puis il se lève.

Une seule fois, nous avons une discussion très violente. Je sens les gardes du tribunal penchés au-dessus de mon épaule, prêts à me contenir. Duch aligne mécaniquement ses dossiers sur le bureau, que pas une feuille ne dépasse, et il répète « C'est vrai, c'est vrai », l'air lointain, les yeux grand ouverts. Soudain il s'arrête et me fixe : « Monsieur Rithy, on a un problème tous les deux : on ne se comprend pas. » La discussion se poursuit. Je lui lance : « A quoi ça sert que je vienne vous rencontrer si vous mentez ? » Duch sourit : « C'est vrai, c'est vrai... » Un peu plus tard, comme il se lève, il me dit en riant : « Monsieur Rithy, ne nous disputons plus. A demain. »

Après des centaines d'heures de tournage, la

vérité m'est apparue cruellement : j'étais devenu l'instrument de cet homme. En quelque sorte son conseiller. Son entraîneur. Je l'ai écrit : je ne cherche pas la vérité, mais la connaissance. Que la parole advienne. Celle de Duch était une ritournelle : un jeu avec le faux. Un jeu cruel. Une épopée floue. Avec mes questions, j'avais participé à sa préparation au procès. Ainsi, j'avais survécu au régime khmer rouge, je questionnais l'énigme humaine en la personne humaine de Duch, et il se servait de moi ? Cette idée m'a paru insupportable.

Le monde vacillait. J'ai manqué étouffer dans l'avion. Je suis tombé dans la rue plusieurs fois. A Paris, j'ai fui le métro, les autobus. Je fixais la foule en tremblant : mais où vont tous ces gens ? Et d'où viennent-ils ? Je sursautais au moindre bruit. Je me tenais au métal, au carrelage, au bois, à mes proches, à mes livres, au papier, je me tenais à la nuit.

Puis un brouillard de sons a envahi mon cerveau, du matin au soir. J'entendais des crissements. Des fréquences radio. Des chocs métalliques. Des échos bizarres. Je me souviens avoir passé des nuits entières à errer sur le grand boulevard devant le palais du Roi. Dans le trafic de Phnom Penh, j'étais au diapason. Le sang cognait à mes tempes. Je ne voulais plus rien entendre. Je disais à mon assistant : Si je ne réapparais pas cette nuit, viens me chercher devant le palais. Ne me laisse pas au bord du fleuve. S'il te plaît. Viens.

Je restais assis sur le trottoir, la tête entre les mains. Ni sanglot ni pensée. Vers quatre heures du matin, je traversais à moto la capitale des mauvais rêves, la gorge serrée, le front au vent tiède. Petits immeubles de ciment. Pagode enluminée. Echoppes dans la pénombre. Vingt ans que les Khmers rouges ont fui ces larges avenues : mais je sens la main de Duch qui cherche mon épaule et ma nuque. Il tâtonne. Je résiste. Je me retourne en frissonnant.

En chemin, j'aperçois un enfant endormi dans une carriole de légumes. Le ciel est pâle. Nous sommes sauvés.

Duch se souvient très précisément des noms, des lieux, des dates, des visages, des parcours. C'est un homme de mémoire. Rien ne lui échappe. Il aime la méthode et la doctrine. Il n'a cessé d'affiner la machine de tuerie – et son langage même.

Pendant le tournage, Duch me jauge. Je le jauge moi aussi. Dans ce qu'il est, je découvre peu d'humanité. Sauvé enfant par un bonze, il connaît très bien le bouddhisme mais la fatalité ne le dirige pas. Il maîtrise sa vie de bout en bout, jusqu'à sa conversion tardive au christianisme – il est aujourd'hui évangélique. D'une idéologie l'autre.

Mesure tout humaine : je ne trouve chez moi que des sensations. Tout s'imprime en odeurs, en images et en sons. Je suis vivant, mais j'ai peur de ne plus l'être. De ne plus respirer. La tuerie m'a emporté pour partie.

Je crois que l'insomnie a commencé en 1997 quand mon film *Les gens des rizières* a été sélectionné à Cannes. Elle n'a cessé d'empirer par la suite. J'ai gagné un peu d'argent et une pensée cruelle s'est fichée en moi : « Je ne peux pas en faire profiter mes parents. » Alors mon enfance est remontée d'un coup. Je tremblais. Je suffoquais. Il fallait donner, donner à tout prix. Que cet argent quitte mes mains. Qu'il s'échappe et m'emporte avec lui.

La nuit, je déambulais sur les Grands Boulevards, au milieu des prostituées, des petits malfrats, des touristes, des Parisiens à la dérive. Je jouais dans tous les cercles de Clichy, de République et de Bastille : au poker, au baccara, au chemin de fer, aussi. Je gagnais des fortunes. Je me souviens avoir traversé Paris, une fortune en poche. Je vivais pour ce quart d'heure miraculeux – et pour ce mensonge : j'étais riche, je tenais le monde. Puis j'étais pauvre de nouveau, dieu soit loué. Un joueur, ça perd. Je riais et je buvais beaucoup, avec des Arabes, des Juifs, des Arméniens, des Chinois. Nous étions paumés. Nous savions tous que nous allions perdre. D'ailleurs nous étions là pour ça. L'important c'était de flamber, qu'il ne reste rien : ni jetons, ni billets, ni dé à sept faces, ni roulette joyeuse, ni cercle, ni joueurs. Rien. Personne.

Cette vie me dégoûtait. Je sombrais dans l'angoisse. Je rêvais de Mitterrand étouffant dans son cercueil. Je rêvais qu'on m'avait enfermé dans un four, et je cognais aux parois, hurlant en vain. Après quelques semaines, j'ai quitté la nuit. Je suis retourné sagement à mes scénarios, à mes films, mais le sommeil n'est pas revenu.

Moi : Les dirigeants savent que les aveux sont faux ?

Duch : Je sais ! Je sais. Cela m'inquiète ! Depuis M13, je veux comparer avec la vérité, mais comment faire ?

Moi : Donc tout le monde sait que les aveux sont faux ?

Duch : Oui, mais personne n'ose le dire ! Monsieur Rithy, j'aime le travail de la police, mais pour chercher la vérité ! Je n'aime pas le faire à la manière des Khmers rouges.

Ainsi j'ai tenu. C'est pourquoi la fin de Primo Levi me peine et m'agace – oui, le mot peut surprendre, il est sincère. L'idée que cet homme a survécu à la déportation, qu'il a écrit au moins un grand livre, *Si c'est un homme*, sans oublier *La trêve* et *Le système périodique*, et qu'il se jette dans l'escalier cinquante ans après... C'est comme si les bourreaux avaient réussi, malgré l'amour et malgré les livres. Leur main a traversé le temps pour achever la destruction, qui ne cesse pas. La fin de Primo Levi m'effraie.

Nous évoquons souvent les livres de Marx, que Duch connaît et admire.

Moi : Monsieur Duch, qui adhère le mieux au marxisme ?

Duch : Les illettrés.

Ceux qui ne lisent pas adhèrent « le mieux » au marxisme. Ils sont le peuple en armes. J'ajoute : ils obéissent.

Ceux qui lisent ont un accès aux mots, à l'histoire, et à l'histoire des mots. Ils savent que le langage façonne, flatte, dissimule, vous tient. Celui qui lit lit dans le langage même : il perçoit la fausseté ; la cruauté ; la trahison. Il sait qu'un slogan est un slogan. Et il en a vu d'autres.

En 1975, j'avais treize ans et j'étais heureux. Mon père avait été le chef de cabinet de plusieurs ministres de l'Education successifs. Il était à la retraite, et sénateur. Ma mère prenait soin de ses neuf enfants. Mes parents, tous deux issus de familles paysannes, croyaient au savoir. Mieux : ils en avaient le goût. Nous vivions dans une maison, en banlieue proche de Phnom Penh : dans l'aisance, avec des livres, des journaux, une radio, et un jour, une télévision noir et blanc. Je l'ignorais alors, mais nous étions destinés à devenir, dès l'entrée des Khmers rouges dans la capitale, le 17 avril de cette année-là, des « nouveau peuple » – ce qui signifiait : des bourgeois, des intellectuels, des propriétaires. Donc des oppresseurs : à rééduquer dans les campagnes ; ou à exterminer.

Du jour au lendemain, je deviens un « nouveau peuple », ou, expression plus affreuse encore, un « 17 avril ». Nous sommes des millions dans cette situation. Cette date devient mon matricule, ma date de naissance dans la révolution prolétarienne. Mon histoire d'enfant est abolie. Interdite. A compter de ce jour, moi, Rithy Panh, treize ans, je n'ai plus d'histoire, plus de famille, plus d'émotions, plus de pensée, plus d'inconscient. Il y avait un nom ? Il y avait un individu ? Il n'y a plus rien.

Donner à la classe haïe un nom plein d'espoir :
nouveau peuple. Quelle idée géniale. Cette masse
sera transformée par la révolution. Trans-
mutée. Ou effacée à jamais. Quant à l'« ancien
peuple », ou « peuple de base », il n'est plus
archaïque et souffrant, il devient le modèle à
suivre – hommes et femmes courbés vers la
terre des ancêtres, penchés sur les machines-
outils, révolutionnaires ancrés dans la pratique.
L'ancien peuple est l'héritier du grand royaume
khmer. Il est sans âge. Il a bâti Angkor. Il a tiré
les figures de pierre dans la jungle et dans
l'eau. Les femmes ploient dans les rizières. Les
hommes terrassent des digues. Ils s'accom-
plissent dans le geste. Ils sont chargés de nous
rééduquer et ont tout pouvoir sur nous.

Ce n'est pas un marteau et une faucille qui
figurent sur le drapeau du Kampuchea démocratique (le nouveau nom du pays) : mais le
grand temple d'Angkor. « Pendant plus de
deux mille ans, notre peuple a vécu dans le
dénuement le plus total et le découragement
le plus complet. [...] Si notre peuple a été
capable de construire Angkor Vat, alors il est
capable de tout faire. » (Pol Pot, discours diffusé à la radio.)

Combien sont morts dans les chantiers du XIIe siècle ? Nul ne sait. Mais il y avait là une puissance et une élévation spirituelles sans rapport avec ce que les Khmers rouges ont engagé.

Les jours qui précèdent le 17 avril 1975, un ami de mon père est venu le prévenir : « Les Khmers rouges approchent. Vous devriez partir avec vos enfants. Il est encore temps. On trouvera une solution pour vous, un avion vers la Thaïlande, par exemple. Fuyez. » Mon père a refusé, impassible. Il n'avait pas peur. C'était un homme de l'enseignement. Un serviteur de l'Etat, qui avait toujours œuvré pour le bien général. Une fois par mois, pendant ses loisirs, il se réunissait avec des amis – professeurs, inspecteurs académiques – et corrigeait les livres traduits en khmer. Il ne voulait pas quitter son pays. Et il ne pensait pas courir un grand risque, bien qu'il ait travaillé pour tous les gouvernements.

A la lumière de l'expérience chinoise, il nous a dit qu'il serait sans doute envoyé dans un camp de rééducation, les premiers temps, ça lui paraissait presque dans l'ordre des choses.

Puis tout s'adoucirait. Il croyait à son utilité pour le pays ; et à la justice sociale. Quant à ma mère et nous, les enfants, nous ne comptions pas pour les Khmers rouges. Telle était alors l'analyse d'un homme éduqué et informé – un homme issu des classes paysannes, qui plus est. Rétrospectivement, il est facile d'y voir de la naïveté. Son regard était d'abord celui d'un humaniste qui envisageait la révolution dans l'humanité : un progressiste.

Pourtant, mon père savait qu'il y avait eu des exactions. A la fin de l'année 1971, un instituteur lui avait raconté qu'enseigner dans les zones de guérilla était presque impossible. Que les Khmers rouges rackettaient, torturaient, assassinaient. Qu'ils ne faisaient preuve d'aucune pitié. Surtout, rien ne semblait égalitaire et libre dans leur organisation.

La révolution populaire était cruelle – mais en face, le régime de Lon Nol ne faisait pas mieux, avec son cortège de disparitions et d'exécutions arbitraires. Les paysans ne supportaient plus la misère et la servitude. Les bombardements américains sur l'arrière-pays. Dans les villes, aussi, le pouvoir était détesté – la corruption avait atteint des niveaux insupportables, dans un climat de pénurie. C'est sur ce terreau de colère que les Khmers rouges ont prospéré, avec leur discipline, leur idéologie, leur dialectique.

Mon père avait bien connu Ieng Sary à son retour de France, à la fin des années 1950. Puis celui-ci était devenu un responsable khmer rouge important et avait disparu dans la jungle. Mon père avait alors aidé sa femme. Ses enfants étaient dans le même lycée que nous. Il ne pouvait pas imaginer l'ancien élève du lycée Condorcet, l'étudiant marxiste, le professeur d'histoire-géographie participant à une entreprise inhumaine ou criminelle. Il estimait que le nouveau régime serait tourné vers l'éducation des masses. Au fond, il croyait à son programme.

Le protectorat français avait pris fin en 1953, mais l'indépendance véritable ne s'obtient pas si facilement. Sous le régime de Lon Nol, la propagande était partout. Il régnait un climat de force. Comme tous les garçons de mon âge, j'étais fasciné par les fusils et les uniformes. Dès qu'un camion militaire approchait de la maison, je sortais monter la garde avec une carabine en bois. Je dessinais des chars dans mes cahiers.

A bien y réfléchir, les enfants des campagnes devaient partager la même fascination, mais très vite, dès onze ou douze ans, les Khmers rouges les prenaient en main. Ils leur donnaient un uniforme, chemise et pantalon noirs, un foulard traditionnel (un krama), une paire de sandales découpées dans un pneu, un fusil, mais surtout : un idéal et une discipline de fer. Qu'aurais-je pensé, si l'on m'avait confié une arme et promis la révolution du peuple, qui conduit à l'égalité, à la fraternité, à la justice ? J'aurais été heureux comme on l'est quand on croit.

Les combats approchaient de Phnom Penh. Nous sentions le sol trembler, à cause des bombardements américains : la fameuse stratégie du « tapis de bombes », déjà utilisée au Vietnam. Mes cousins des campagnes m'avaient prévenu : à l'approche des B-52, il ne faut pas se plaquer au sol. A des centaines de mètres, les vibrations font saigner du nez et des oreilles. Ils m'avaient aussi appris à reconnaître le sifflement des roquettes. Eux n'en pouvaient plus d'avoir faim et soif, d'avoir peur. Ils moissonnaient la nuit, à cause des raids aériens. Ils sont tous morts aux côtés des Khmers rouges. C'est simple : plus les B-52 américains bombardaient, plus les paysans s'engageaient dans la révolution, et plus les Khmers rouges gagnaient du terrain.

Les réfugiés s'entassaient dans la capitale. Ils semblaient hébétés. Le rationnement s'est généralisé. L'eau manquait, le riz, l'électricité, l'essence. Au rez-de-chaussée de la maison, nous hébergions ma tante et ses deux enfants. Nous entendions les sifflements des roquettes qui tombaient sur notre quartier, puis la course lugubre des ambulances. Mon école se trouvait en face d'une pagode, et ainsi, nous assistions de plus en plus souvent à l'incinération de gradés morts au combat. L'angoisse a gagné la ville, diffuse, impalpable. Nous attendions, mais quoi ? La liberté ? La révolution ? Je ne reconnaissais plus rien : les visages étaient fermés. Alors j'ai rangé mon fusil de bois. La fête était finie et je n'avais pas d'idéal.

Le 17 avril, comme tous les habitants de la capitale, nous avons convergé vers le centre.

Je me souviens que ma sœur conduisait sans permis. Ils arrivent ! Ils arrivent ! Nous voulions être là, voir, comprendre, participer. La rumeur courait déjà que nous devions être évacués. Les gens couraient derrière les colonnes armées, vêtues de noir. Il y avait des hommes de tous âges, le pantalon roulé jusqu'aux genoux, comme tous les paysans.

Les livres affirment que Phnom Penh a fêté joyeusement l'arrivée des révolutionnaires. Je me souviens plutôt d'une fébrilité, d'une inquiétude, d'une sorte d'angoisse face à l'inconnu. Et je n'ai pas le souvenir de scènes de fraternisation. Ce qui nous a surpris, c'est que les révolutionnaires ne souriaient pas. Ils nous maintenaient à distance, avec froideur. Très vite, j'ai croisé leurs regards, j'ai vu les mâchoires serrées, les mains sur les détentes. J'ai été effrayé par cette première rencontre, et par l'absence totale d'âme.

Il y a quelques années, j'ai rencontré et filmé un soldat d'élite khmer rouge, qui m'a confirmé avoir reçu une instruction claire, la veille du grand jour : « Ne touchez personne.

Jamais. Et si vous n'avez pas le choix, ne touchez jamais avec la main, mais avec le canon du fusil. »

Annotation à l'encre rouge dans le registre de S21, en face du nom de très jeunes enfants : « Réduis-les en poussière. » Signature : « Duch. » Duch reconnaît son écriture. Oui, c'est bien lui qui a écrit cela. Mais il précise : il l'a écrit à la demande de son adjoint, le camarade Hor, le chef de l'unité de sécurité – pour « secouer » le camarade Peng, qui semblait hésiter...

Sur une page de ces registres, il peut y avoir vingt ou trente noms. Pour chaque nom, une mention manuscrite de Duch : « détruire », « garder », « vous pouvez détruire », « photographie nécessaire », comme s'il connaissait chaque cas dans le détail. Minutie de la torture. Minutie du travail de torture.

Nous sommes partis chez les amis qui nous hébergeaient provisoirement, dans le centre de la capitale. A un carrefour encombré par les véhicules, les soldats, la foule, un chef khmer rouge en jeep, pistolet à la ceinture, entouré de ses gardes du corps, a reconnu mon père et a joint les mains pour le saluer. Il s'est incliné doucement. Qui était-il ? Un ancien élève ? Un instituteur ? Un paysan du village natal de mon père ? Quelques mètres plus loin, mon père a dit à ma sœur : « Essayons à droite. » Mais il a reçu un violent coup de crosse à la tempe. « Non ! A gauche ! » a hurlé un jeune Khmer rouge. Nous avons obéi.

Quand il a vu l'état sanitaire des réfugiés, les femmes enceintes sur les routes, les grands malades abandonnés, le mari de ma sœur aînée, qui était chirurgien, nous a quittés. Il est retourné à l'hôpital de l'Amitié khméro-soviétique. Des jours entiers, il a opéré et dispensé des soins, puis il a été évacué avec tous les malades. Le chaos était indescriptible. Il n'y avait plus aucun moyen de communication – ou plutôt : les communications étaient interdites. Mon beau-frère nous a cherchés en vain et a repris, seul, le chemin de sa province natale. Quinze ans après, j'ai appris qu'il avait été arrêté à Taing Kauk. Quelqu'un l'a reconnu et l'a dénoncé comme médecin. On dénonçait alors pour obtenir un bol de riz. Par vengeance. Par jalousie. Pour plaire au nouveau pouvoir. Un médecin ? Il a été exécuté sur-le-champ.

Un an plus tard, sa femme, ma sœur aînée, a disparu. Tous deux travaillaient pour le Cambodge : quoi de plus beau que l'archéologie et la médecine ? Le corps passé et le corps vivant ? Mon père avait hésité à les envoyer en France, grâce à une bourse, comme il avait déjà réussi à le faire pour quatre de ses enfants. Qu'ils se spécialisent. Qu'ils progressent encore. Puis qu'ils reviennent servir leur pays. Mais il avait renoncé.

Quand je me rends au Musée national d'archéologie, un bâtiment rouge aux toits élancés, bâti par les Français, je pense à ma sœur qui en fut, si jeune, la directrice adjointe. A huit ou neuf ans, je venais souvent la chercher à son bureau. Je me hissais sur le muret de brique, et avec un bâton, je cueillais les fruits mûrs des tamariniers. Ils étaient délicieux. Aujourd'hui je n'ose plus. Est-ce l'âge ? Le souvenir ? Le palais royal n'est pas loin, avec ses hauts murs, ses traditions. L'ancien monde ne reviendra pas. Et toi ma sœur, je ne t'ai jamais

retrouvée. Je vois encore ta jupe de couleur,
quand tu apparaissais à la grande porte de bois
sculptée, et ton sac chargé de documents. Je
me souviens de nos promenades. De tes paroles.
De mes caprices. Je vois ton sourire. Tu prends
ma main d'enfant.

Très vite, le 17 avril au matin, un soldat s'est
présenté à notre porte : « Prenez vos affaires !
Quittez la maison ! Tout de suite ! » Nous nous
sommes précipités. Immédiatement, sans savoir
pourquoi, comment, nous avons obéi. Etait-ce
la peur, déjà ? Je ne crois pas. Plutôt un sentiment de stupéfaction. Un de nos voisins, un
homme à tout faire devenu commandant khmer
rouge, a cherché à nous rassurer.

Toute la ville était dans les rues. Les hommes
en noir nous ont dit que nous serions de retour
dans deux ou trois jours. La chasse aux traîtres
et aux ennemis a commencé. Epuration hideuse,
mais classique dans ces circonstances. Les
Khmers rouges recherchaient des officiers et
des hauts fonctionnaires, des partisans de Lon
Nol. Puis la rumeur a couru que les Américains
allaient bombarder la capitale. Cette possibilité

a été évoquée maintes fois par les dirigeants khmers rouges, puis par certains intellectuels occidentaux. Les Américains n'ont rien fait : qui pouvait penser sérieusement qu'ils bombarderaient une ville de deux millions d'habitants, quelques jours après avoir retiré leurs hommes et leurs soutiens ? Je me souviens encore des hélicoptères évacuant leur ambassade. Il fallait beaucoup de haine et d'aveuglement, ou des raisons indicibles, pour croire à cette fable.

Chacun de nous a emporté un sac préparé par ma mère, avec son sens pratique inné, et nous sommes partis en voiture. Nous n'avancions pas. Très vite, nous nous sommes perdus dans la marée humaine. Il y avait des femmes, des enfants poussant des brouettes, des hommes follement chargés, des gens hagards – et partout, le regard froid, l'uniforme noir, les cartouches en bandoulière des combattants de quinze ans.

Aujourd'hui, les historiens pensent que les révolutionnaires ont déversé vers les campagnes près de 40 % de la population totale du pays. En quelques jours. Il n'y avait aucun plan d'ensemble. Aucune organisation. Rien n'était prévu pour guider, nourrir, soigner, héberger ces millions de personnes. Peu à peu, nous avons vu sur les routes des malades, des vieux, de grands invalides, des brancards. Nous avons senti que l'évacuation tournait mal. La peur était palpable.

J'interroge Duch inlassablement. Lui qui regarde en face les procureurs, les juges, les avocats du tribunal – car il sait quand il est filmé, ayant un écran de contrôle sous les yeux –, il ne fixe jamais ma caméra. Ou si peu. A-t-il peur qu'elle voie en lui ?

Duch parle au ciel, qui est un plafond blanc. Il m'expose sa position. Il fait des phrases. Je le reprends. Je lui soumets des informations précises. Il hésite. Quand il est en situation difficile, Duch se frotte le visage de sa main abîmée. Il respire bruyamment. Il se masse le front, les paupières, puis il observe le néon.

Un jour, lors d'un dialogue qui vire au combat, je vois la peau de ses joues se marbrer. Je scrute cette irritation, sa chair hérissée. Puis le calme revient, le calme du combattant, le calme du révolutionnaire qui a dû affronter tant de

comités cruels et de séances d'autocritique.
J'arrête alors de filmer et je lui dis : « Réfléchis-
sez, prenez votre temps. »

Il sourit, il me parle doucement : « Monsieur
Rithy, on ne se disputera plus demain, n'est-
ce pas ? » Je vois bien : il voudrait qu'on se
comprenne, qu'on rie ensemble. Et il a besoin
de me parler. De continuer la discussion. De
m'emporter. Non ce n'est pas un monstre ;
encore moins un démon. C'est l'homme qui
cherche et saisit la faiblesse de l'autre. L'homme
qui traque son humanité. L'homme inquiétant.
Je ne me souviens pas qu'il m'ait quitté sans
un rire ou un sourire.

Nous avons roulé quelques kilomètres, et
nous nous sommes arrêtés. Fallait-il continuer ? Jusqu'où ? Un soldat s'est approché et
nous a fait signe de repartir, sans un mot. Mon
père soupirait, les mains crispées. L'épisode
s'est renouvelé deux fois. Les Khmers rouges
parlaient une langue un peu étrange, avec des
mots que je connaissais mal. Ils ont ainsi utilisé
le verbe *snœur* pour confisquer notre voiture,
qu'ils ont laissée en bord de route. En théorie,

snœur signifie « demander gentiment ». La parole
était lisse, presque douce, mais le regard était
violent. Trente ans après, Duch évoque Staline, « une main de fer dans un gant de
velours », et résume ainsi l'attitude des Khmers
rouges : « polie mais ferme ».

Instinctivement, ce langage nous a inquiétés.
Si les mots perdent leur sens, que reste-t-il de
nous ? Pour la première fois, j'ai entendu le
terme « Angkar » (l'Organisation), qui n'a cessé
d'emplir ma vie. Nous avons marché, puis le
soleil est tombé dans les rizières.

Nous commencions à deviner, au ton, aux
regards des Khmers rouges, que nous ne rever-
rions pas Phnom Penh de sitôt. Et je n'ai pas
le souvenir d'avoir croisé la force, l'excitation
joyeuse, la liberté des premiers sans-culottes.

A M13, Duch assiste souvent aux interroga-
toires. Il réfléchit. Observe beaucoup. « Jusqu'à
en tirer une théorie », me dit-il. Je ne comprends pas cette formule. « En tirer une théorie ? Mais quelle théorie ? Expliquez-moi... » Il
a cette réponse : « Je reste courtois mais ferme »
puis il se tait.

La deuxième nuit, ma mère a demandé à mon père d'aller jeter ses cravates. Il n'y avait pas encore de fouilles, mais la rumeur courait que des jeunes aux cheveux longs avaient été exécutés et qu'on avait promené leurs têtes sur des piques. Mon père a disparu dans la forêt, ses cravates à la main, et il est rentré après avoir caché son ancienne vie.

Après la chute de Phnom Penh, à l'aube, dans le nord du pays, les prisonniers du centre M13 reçoivent l'ordre de creuser. Sous le ciel blanc, dans la sueur et la peine, ils préparent une fosse. Combien sont-ils ? Des dizaines ? On ne saura jamais. Ils sont exécutés. De ces charniers peut-être immenses, il ne reste rien. Pendant des années, les Khmers rouges ont planté du manioc et des cocotiers, qui ont mangé les corps et le souvenir.

Duch gagne Phnom Penh avec toute son équipe : des dizaines de paysans qu'il a choisis puis formés à la torture. Certains ont treize ou quatorze ans. Parmi eux, Tuy, Tith, Pôn et Mâm Nay dit Chan. Ces derniers sont aussi d'anciens professeurs. Mâm Nay a fait de la prison avec Duch, son ami, son double. Tous deux parlent français couramment et se comprennent à mi-mot.

La nouvelle histoire a commencé : ses assassins attendent, aux abords de la capitale. Bientôt, ils occuperont l'ancien lycée de Ponhiear Yat, qui prendra le nom de S21.

Plus tard, je montre à Duch une photo de Bophana avant la torture. Yeux noirs, cheveux noirs. Elle semble impassible. Ailleurs déjà. Il la tient longuement : « Quand je regarde ce document, je suis troublé. » Il semble ému. Est-ce la compassion ? Est-ce le souvenir ? Est-ce sa propre émotion qui le touche ? Il se tait puis conclut : « On est sous le ciel. Qui n'est pas mouillé par la pluie ? »

Nous avons pris l'habitude de dormir dans la forêt, non loin de la route. Nous jetions une bâche en plastique par terre, et nous nous allongions.

Tout manquait : l'eau potable ; le lait pour les nourrissons ; les soins ; le feu. Les prix sont devenus fous. Pour mes treize ans, le 18 avril, ma mère a acheté à la sauvette un jambon qu'elle a fait caraméliser. Des dizaines de milliers de riels. Nous avons partagé ce plat, mais je ne crois pas que nous ayons ri, ce jour-là.

Après quelques jours, la rumeur a couru que la monnaie ne valait plus rien ; qu'elle allait tout simplement disparaître. Les vendeurs ont commencé à refuser les billets. L'effet a été dévastateur. Comment se nourrir, comment boire, comment vivre sans monnaie ? Le troc avait repris dès l'évacuation : il s'est généralisé. Les riches se sont appauvris ; les pauvres se sont dénudés. La monnaie n'est pas qu'une violence : elle dissout, elle fragmente. Le troc affirme ce qui manque absolument, et fragilise celui qui est fragile.

Ma mère, prévoyante, avait emporté des draps en quantité, qu'elle a échangés contre de la nourriture. Ces grandes étoffes nous ont été bien utiles. Ma mère a pu obtenir des gamelles, des cuillères de l'armée américaine, un seau, une casserole. Et une bouilloire pour boire sans risque l'eau du fleuve Bassak.

Nous avons compris que le mouvement était irréversible.

Des années plus tard, j'ai visionné des images d'archives extraordinaires : des révolutionnaires font sauter la Banque centrale du Cambodge. Seuls les angles du bâtiment sont encore debout, triste dentelle renforcée de métal : au milieu, des gravats. Le message est clair. Il n'y a pas de trésor ; il n'y a pas de richesse qui ne puisse être anéantie. Nous dynamiterons l'ancien monde, et nous prouverons ainsi que le capitalisme, c'est de la poussière entre quatre murs.

Je m'arrête un instant sur ce beau programme. Les révoltés de tous les pays évoquent souvent une société sans monnaie. Est-ce l'argent qui les dégoûte ? Ou le désir de consommation qu'il révèle ? L'échange aurait des facultés méconnues. L'échange gratuit, comme il convient d'appeler le troc. Mais je ne connais pas d'échange gratuit. Ou bien c'est un don. J'ai vécu quatre ans dans une société sans monnaie, et je n'ai jamais senti que cette absence adoucissait l'injustice. Et je ne peux oublier que l'idée même de valeur avait disparu. Plus rien ne pouvait être estimé – j'aime ce mot à double sens, car compter n'est pas forcément mépriser ou détruire – à commencer par la vie humaine.

Plus rien ? Ce n'est pas exact, car pendant toute cette période, l'or n'a pas cessé de circuler discrètement. Il avait un pouvoir extraordinaire. Avec de l'or, on faisait apparaître ce qui avait disparu : de la pénicilline, par exemple. Du riz, du sucre, du tabac. Les Khmers rouges participaient pleinement à ce trafic.

Autres images d'archives : le trésor. Des caisses de bois clouées, découvertes dans un entrepôt. Sous des bâches transparentes, des billets de banque du nouveau pays : le Kampuchea démocratique avait donc préparé sa monnaie. Problème logistique ? Radicalisation de la doctrine ? Elle n'a jamais servi.

Nous pratiquions l'échange, toléré au début, mais très vite, il n'y a plus rien eu à échanger. Contrairement à ce qu'affirme l'imagerie populaire, il ne reste pas toujours « quelque chose ». J'ai vu un pays entièrement dépouillé, où une fourchette ne se donne pas ; où un hamac est un trésor. Rien n'est plus réel que le rien.

Je connais peu d'exemples, dans l'histoire contemporaine, d'un déplacement de population aussi massif, aussi soudain. Comment

le nommer : exode organisé ? marche forcée ?
Qu'on ne me dise pas que les Khmers rouges
n'avaient pas le choix ; qu'ils étaient en guerre
contre tous ; qu'ils sortaient de la jungle ; qu'ils
n'avaient aucun moyen humain et technique ;
qu'ils ont agi au mieux dans une époque trouble ;
et qu'il est facile d'avoir raison après coup. Qu'on
ne me dise pas que les Khmers rouges pensaient
trouver ainsi une solution à la famine qu'ils
affirmaient redouter. Ou que les bombardiers
américains tournaient déjà autour de la capitale.

Malheureusement, je ne peux voir dans la
« déportation de Phnom Penh » que le début
de l'extermination du « nouveau peuple », selon
la définition même de Duch : « capitalistes, féo-
daux, fonctionnaires, classes moyennes, intellectuels, professeurs, étudiants ». Vider les villes
et donc les universités, les bibliothèques, les
cinémas, les tribunaux, les théâtres, les admi-
nistrations. Vider ces lieux de commerce, de
corruption, de débauche, de trafics. Vider aussi
les hôpitaux et les dispensaires. Cette déportation préfigurait le plan d'ensemble que nous
connaissons désormais.

La première décision politique du nouvel
ordre est d'ébranler la société : déraciner les habi-

tants des villes ; dissoudre les familles ; mettre fin aux activités antérieures – professionnelles en particulier ; briser les traditions politiques, intellectuelles, culturelles ; affaiblir physiquement et psychologiquement les individus. L'évacuation forcée a eu lieu simultanément dans tout le pays et n'a souffert aucune exception.

Ainsi commence le renversement complet de la société. Il y a tout de suite, on l'imagine, des morts par milliers, des malades en grand nombre, des personnes affamées.

Faisons maintenant le raisonnement inverse. Prenons pour hypothèse que les Khmers rouges ont voulu *protéger* la population des villes, de Phnom Penh en particulier. Passé le « nettoyage politique », je ne sais comment nommer cette chasse à l'homme ; passé l'absence de bombardements américains, pourquoi n'ont-ils pas organisé le retour de la population ? Ce n'était pas simple, bien sûr, mais on eût évité des dizaines de milliers de morts. L'hypothèse est malheureusement absurde : pourquoi les révolutionnaires auraient-ils protégé une partie de la population qu'ils haïssaient, alors qu'ils n'ont eu de cesse, par la suite, de l'affaiblir, de l'affamer, de la « forger », de l'exterminer ? Le plan d'ensemble est tout à fait cohérent. Les chefs khmers rouges ont obtenu ce qu'ils cherchaient : la destruction presque immédiate de la « classe bourgeoise ».

Bien avant ces événements, je me souviens que mon père m'emmenait avec lui chez une femme très proche des révolutionnaires. Je l'appelais tante Tha. Elle et son mari, Uch Ven, étaient rentrés de France, où ils avaient étudié : rapidement, lui avait pris le maquis et était devenu une figure importante de la guérilla. Il est mort de la malaria, m'a appris Duch.

Sa femme vivait à Phnom Penh avec leurs enfants. J'aimais aller chez elle car il y avait un train électrique. Elle était surveillée en permanence par des policiers. Rien de tout cela n'inquiétait mon père. Il appréciait cette femme, son intelligence, son parcours, son courage, et nous l'avons souvent accueillie à la maison. Elle était comme de la famille.

Beaucoup plus tard, j'ai rencontré un des élèves de mon père, qui m'a dit : « Ah, tu es le fils de Panh Lauv ! Il était exigeant mais formidable... » Et il m'a raconté cette histoire : Un jour cet élève s'est battu assez violemment avec un gosse de riche, dans la cour de récréation. Le père de celui-ci est venu se plaindre à la direction de l'école, et mon père l'a rassuré : « Ne vous inquiétez pas, ça ne se reproduira plus. Je vais régler ce problème. » L'air martial, il a saisi sa canne de rotin. Le notable et son fils ont disparu, sans doute satisfaits de ce qui attendait l'autre élève. Mon père est allé à sa rencontre et lui a dit : « Tu as bien fait de ficher un coup de poing à ce gosse de riche insupportable. Il est trop bête. Son père aussi. Mais fais attention à toi, sinon tu auras des soucis. Je ne vais pas te frapper, tout de même ! Maintenant, rentre chez toi. » Et ça s'est arrêté là.

Je questionne Duch sur la famine qui dévore le pays, dès 1975. « Pour la famine, j'étais au courant. Je savais. Ma mère est venue me voir (il sourit). Elle aussi a souffert de la faim. » Je précise que sa mère vivait dans la province de Kompong Thom, et que sa venue à Phnom Penh, en voiture ou en camion, est impensable : tout déplacement était strictement interdit. Et

il ne restait dans la capitale que le gouvernement, l'administration, quelques ambassades
dont le personnel était cloîtré, de rares usines,
et le centre S21. Nul ne pouvait approcher ce
complexe vaste et secret.

Duch continue : « Comment aider ma mère ?
(Il rit de nouveau.) Si je lui donne du riz, on
m'arrête. » Je souligne cette dernière phrase :
donner du riz à sa mère est un crime. Mais
traverser tout le pays pour voir son fils et se
plaindre à lui, en pleine révolution, n'en serait
pas un ?

Je lui réponds : « Votre mère a traversé tout
le pays pour venir vous rencontrer à S21 ? Vous
plaisantez. » Duch : « Pas du tout. Elle connaissait tout le monde. » Moi : « Monsieur Duch,
c'est vous que tout le monde connaissait ! »

Il dit avoir ensuite rédigé un rapport sur la
famine pour son premier chef, Son Sen, membre
du Comité central, ministre de la Défense et
responsable de la sécurité. Il affirme ainsi son
humanité et sa proximité avec les Khmers souf-
frants. Il n'y a pas de bon côté. Même la mère
de Duch est une victime.

Son Sen répond ainsi au rapport : « Bien
sûr ! Elle a raison. C'est l'ennemi qui a affamé

le peuple. C'est l'ennemi qu'on n'a pas entièrement arrêté. » Et Duch commente : « A l'époque, tout le monde a cru à ça. »

L'aveu ne vient jamais de façon claire et directe. C'est un murmure, auquel il faut prêter une oreille extrêmement attentive. Je mets ces deux phrases sous forme logique : « A l'époque, tout le monde a cru que l'ennemi nous affamait, et que si nous l'arrêtions, nous n'aurions plus faim. Ce n'était pas vrai. Ce n'était pas vrai mais nous, les Khmers rouges, nous avons menti. Et nous avons cru à notre mensonge. » A son niveau de responsabilité – il est le chef de la police du régime, comme il le dit lui-même –, Duch ne pouvait pas ignorer ce mensonge. J'insiste sur ce « nous », car Duch dit désormais « ils » pour évoquer les Khmers rouges. « Ils ne pensent pas à la vie des gens. » Ils, ce n'est pas lui. Le révolutionnaire, c'est l'autre.

Dans la conversation, Duch a ces mots merveilleux et inhumains, mais le sait-il ? : « Je ne suis pas celui qui n'a pas de mère. » Et il rit.

Sur la route, il y avait donc mes parents : ma sœur aînée ; mes deux sœurs célibataires ; mes trois jeunes neveux ; et moi. Un garçon de deux ans mon aîné nous accompagnait, que nous hébergions depuis plusieurs mois. Phal, un orphelin pauvre que mes parents avaient recueilli, dans la tradition khmère. Il était éduqué, nourri, vêtu – et il participait aux tâches ménagères. A tour de rôle, chacun s'occupait de ramasser les œufs, de nourrir les canards et les chiens, de laver le carrelage et le linge. Rien d'étonnant dans une maison où vivait une quinzaine de personnes.

Nous sommes restés deux jours dans une pagode, à Kôh Thom, non loin d'un immense cimetière de voitures où les déplacés avaient abandonné leurs véhicules. Nous étions enfermés. C'est là que le premier recensement a eu lieu, et il n'a jamais cessé. Les informations étaient portées dans des cahiers d'écoliers. Combien étions-nous ? D'où venait notre famille ? Quel était le métier de mon père ? Les Khmers rouges étaient pressants, presque agressifs.

Nous avons été embarqués de nuit, sur un bateau, avec nos valises chaque fois moins lourdes, et nous nous sommes approchés de la frontière vietnamienne. Phnom Penh était loin.

Nous avons débarqué à Kôh Tauch, dans une pagode. Tout était mystérieux. Des bonzes travaillaient dans les rizières, ce qui était impensable jusqu'alors. D'autres étaient consultés par toutes sortes de gens. Nous savions qu'un général se trouvait en résidence surveillée. Nous devinions sa silhouette. Il semblait immobile. Puis il a disparu, « emmené à l'étude » : nous avons entendu cette expression pour la première fois. Nous pensions sincèrement qu'il s'agissait de rééducation.

Chaque instant est cruel. Un soir, les Khmers rouges exigent que nous ouvrions nos valises. Sans un mot, nous étalons toutes nos affaires sur le sol, à plat, bien espacées. Ils veulent savoir qui nous sommes. Ils ne trouvent aucun document, aucun signe de collaboration avec l'ennemi. Il y a des tissus, quelques bijoux, de l'argent, qu'ils ne prennent même pas. L'un d'eux nous jette, en haussant les épaules : « Tout ça, c'est fini. » Fini, l'argent ? Nous sommes stupéfaits.

Je n'ai pas oublié leurs regards fixes quand ils ont découvert les soutiens-gorge de mes sœurs. Alors ces enfants de quinze ans étaient des hommes. Et nous étions comme nus.

L'un d'eux a désossé un petit cahier dans lequel ma sœur avait collé quelques souvenirs, et il en a tiré une vieille carte de visite. Il nous l'a montrée sans un mot : « Panh Lauv, Chef de cabinet, ministère de l'Education nationale ». Il y avait même son numéro de téléphone. Beaucoup plus compromettant que des cravates. Nous étions terrifiés.

Puis nous avons été confiés à une famille de l'ancien peuple. Un vieux couple nous a accueillis sous sa maison à pilotis. Deux de mes sœurs, qui avaient plus de quatorze ans, sont parties vivre dans leur « groupe de jeunes ». Avec Phal, mais aussi avec le gendre des vieux, un Khmer rouge, j'ai découvert la vie paysanne. Je ne savais rien faire. Rien. Ni pêcher ; ni repérer des racines comestibles ; ni déterrer un escargot. Ni même ramer. J'ai découvert ce monde âpre où il faut plonger dans l'eau froide hérissée de joncs, tâtonner dans la vase, vider les nasses. Nous avons piqué du riz, planté du maïs et du manioc.

Phal a eu des diarrhées terribles et a failli mourir en quelques heures. Je me souviens encore que ma sœur aînée nettoyait son pantalon souillé plusieurs fois par jour, dans la rivière. Il ne se contrôlait plus. Nous étions proches, tous les deux, et j'étais très triste. Finalement, il a été sauvé.

Phal connaissait la vie paysanne. Il a donc pris une sorte d'ascendant. Tous deux, nous avons commencé à suivre l'étude du soir organisée par les Khmers rouges. Au programme : la lutte des classes, son cortège d'injustices et la révolution. En un mois, Phal a changé. Il est devenu âpre. Sa conscience s'est éveillée. Ou bien était-ce le ressentiment ? Il est allé expliquer au responsable du village qu'il avait été maltraité, que mes parents étaient des esclavagistes, qu'ils devaient être punis. L'homme a tout noté dans son carnet.

Il faut croire que le mouvement révolutionnaire n'était pas si radical, les premiers temps, car Phal s'est fait rembarrer par le vieil homme qui nous hébergeait : « C'est comme ça que tu traites ta famille ? Regarde la sœur qui lave tes vêtements trempés de merde ! Et ils te soignent ! Tu devrais avoir honte ! » Ces propos sont devenus impensables, par la suite.

J'observais la campagne emportée par le Bassak, gigantesque. Il a gagné jusqu'à la forêt, boueux et lugubre. Ce fleuve était notre ciel. L'année scolaire était perdue, mais seul mon père semblait y penser encore.

Ma mère a obtenu le droit de s'occuper de mes jeunes neveux. A treize ans, je pouvais rester avec mes parents. Le vieux m'a confié ses bœufs. J'étais impressionné par ces bêtes énormes, qui me soufflaient dans le cou et s'arrêtaient sans raison. Je leur parlais. Je les suppliais. Elles m'ignoraient comme des divinités dont la terre aurait séché les paupières. Un enfant m'a dit de me tenir derrière elles, et de leur donner un coup de bâton. Alors elles ont repris leur marche, balayant le ciel de leur queue sale. Le matin, elles labouraient et à midi, je les guidais vers la forêt basse, où elles restaient au frais. Le soir, je rentrais à l'étable, j'allumais un feu de tourbe et de brindilles, pour chasser les moustiques. Puis je m'effondrais sur une natte. Aujourd'hui encore, je sens la main de ma mère qui me caresse le front.

J'ai aussi traversé un bras de fleuve gigantesque, suffoquant dans les tourbillons de boue, le licol dans une main, une oreille de bœuf dans l'autre. Puis un fils de paysan m'a expliqué la seule technique possible : s'agripper à la queue des bêtes et se laisser tirer, en évitant de prendre un coup de sabot.

Nous étions au service de la coopérative, mais la vie n'était pas entièrement communautaire : je prenais ainsi mes repas avec mes parents et mes neveux. Quand un cochon était égorgé, chaque famille recevait un bout de gras, à l'appel de son nom. La distribution de nourriture se faisait toujours en deux temps : d'abord les « nouveau peuple », qu'on écartait rapidement ; puis les « ancien peuple ». La qualité et la quantité de viande dépendaient de la catégorie à laquelle on appartenait. L'argent résistait encore à la disparition ; et certains rêvaient de devenir millionnaires. Moyennant des bijoux ou du tissu, un « nouveau peuple » pouvait négocier avec un « ancien peuple ». Le kilo de porc coûtait des centaines de milliers de riels. Puis tout s'est arrêté.

Je cherche à définir l'atmosphère de ces premiers mois, telle que je l'ai perçue : la méfiance régnait plus que la peur. Tout me surprenait. Mais la révolution n'était pas dans sa phase radicale – je précise : dans sa phase de terreur.

A la même époque, nous avons reçu des sacs de maïs dur : un cadeau officiel des camarades chinois. Les grains étaient énormes et pâles, mais infestés d'insectes. Nous avons trié un par un ces grains autrefois réservés aux cochons. Un paysan, qui voyait que j'étais affamé, m'a proposé un peu de chien. Un homme mange un chien. Quelle idée…

Avec deux amis, nous avons repéré une presqu'île, que j'ai gagnée à la nage. Il y avait des coquillages et des poissons : un trésor ! J'ai noué mes prises autour de mon cou. Au retour, de fatigue, j'ai failli me noyer dans cette eau qui charriait du bois, des blocs de terre, des bêtes épuisées... Comment le nier ? C'était l'aventure. Je découvrais la vie paysanne dans sa dureté et sa puissance. J'apprenais à poser des pièges, et je fumais du tabac roulé dans une feuille de sangker, comme les enfants de l'ancien peuple. Je me disais : « Est-ce qu'ils me croiront, les autres, à Phnom Penh, quand je leur raconterai tout ça ? Quand je leur expliquerai que j'ai pêché du poisson à mains nues ? » Je pensais déjà à raconter. Le chemin a été long et je doute que « les autres, à Phnom Penh » soient encore vivants.

Puis les interdits et les vexations se sont multipliés. La vie communautaire s'est durcie. Les « ancien peuple » mangeaient bien et nous parlaient durement.

Un matin, j'ai aperçu un cadavre qui dérivait sur le fleuve, gonflé et angoissant. J'ai pensé à la famine et aux combats. Les semaines ont passé. Des racines dures comme de l'acier ont entravé certains corps. Nous nous sommes approchés. Il n'y avait pas de sang mais des marques mauves, des entailles profondes. Ces femmes et ces hommes avaient été exécutés.

Les révolutions ont faim. La perspective du grand récit s'est éloignée pour moi, comme celle du retour à l'ancienne vie.

Nous avons fini par dormir dans la maison du vieux couple, à leurs côtés. Je me souviens qu'ils priaient Bouddha et les ancêtres, la nuit, sans oser allumer les encens. Des miliciens se glissaient sous les planchers de bambou pour écouter nos conversations. Ils ont entendu mon père s'interroger sur Ieng Sary. Où était-il désormais ? Etait-il informé du tour que prenait la révolution ? Le croiserait-il à nouveau ? Ce nom célèbre a tétanisé les Khmers rouges, qui ont épargné mes parents.

La saison froide est venue, annoncée par le vent du nord et la décrue du grand fleuve. J'ai découvert des kilos de poisson dans un trou de bombe gigantesque, un vestige des bombardements des B-52, mais je n'ai pas pu les ramener. Pas la force. Je suis rentré en larmes, tremblant de fièvre, titubant dans la glaise.

Le riz a mûri, le manioc, et toutes les plantes ont donné leurs fruits. Mais l'Angkar a décidé que nous devions partir. Nous avons donc quitté

Kôh Tauch à pied, puis un bateau à moteur nous a déposés sur l'autre rive du Bassak.

Je ne comprenais pas tous les termes utilisés par les Khmers rouges, souvent inventés à partir de mots existants : ils mêlaient de façon troublante sonorités et significations. Tout semblait glisser. Se déplacer. Pourquoi utilisait-on *santébal* pour désigner la police, et non pas le traditionnel *nokorbal* ? Je découvris aussi le mot *kamaphibal*. *Kamak* peut se traduire par activité, action. *Kamakor* signifie « ouvrier ». Et *phibal*, « gardien ». Littéralement, le *kamaphibal* était le « gardien du travail », le « gardien de l'action » : nous appelions ainsi les cadres khmers rouges, qui étaient nos maîtres, nos geôliers, et avaient sur nous pouvoir de vie et de mort.

Une nuit, une vingtaine de camions se sont présentés. Les Khmers rouges ont fait monter plusieurs familles, dont la mienne. Les chauffeurs, très jeunes, ne nous parlaient pas. Nous avons roulé vers la banlieue de Phnom Penh.

Tout semblait vide. Mais beaucoup étaient joyeux, pensant retrouver leurs maisons, et, pourquoi pas : leur ancienne vie.

Soudain les camions ont bifurqué. Je me souviens qu'un homme âgé a observé les étoiles et a murmuré : « On s'éloigne de la capitale. » Alors nous nous sommes tus. Nous avions faim et soif. Le camion bringuebalait sur une piste de terre qui semblait infinie. Puis il s'est arrêté au milieu des rizières. On nous a fait descendre dans la poussière et les vapeurs d'essence, et le convoi est reparti. J'ai essayé de distinguer un village, ou un abri. Rien. Nous nous sommes assis sur le chemin, les vieux, les femmes, les enfants. Il y avait des murmures et des soupirs. Personne n'osait parler. De temps en temps, un Khmer rouge sortait de nulle part, s'assurait que nous étions tous là, et s'éloignait sans un mot.

Je me souviens du ciel étoilé. De tous côtés montaient des frôlements, des sifflements, des coassements. La campagne semblait en chasse. Et je n'ai pas dormi.

Puis le soleil est monté, terrible. Nous n'en savions pas plus. Un soldat nous a apporté du pain et nous a laissés au milieu de l'immense rizière. Quelques jours plus tard, nous avons embarqué dans des wagons à bestiaux. Les portes ont coulissé dans un bruit de fer, et nous avons roulé vers le nord, debout, serrés les uns contre les autres. Après plusieurs heures, silencieuses et épuisantes, j'avais l'impression de voir dans le noir. Le train s'arrêtait sans raison apparente. Nous attendions le long de la voie – souvent en pleine nuit. On commençait à faire cuire un peu de riz, mais un homme hurlait un ordre, nous montions dans l'affolement, et le convoi repartait.

Nous sommes arrivés en train près de Mong, dans le nord-ouest, ma mère a tendu son sac à Phal et lui a dit simplement : « C'est fini, maintenant. Pars de ton côté. » Il nous a suppliés de le garder avec lui. C'était affreux. Il était redevenu un enfant. Il implorait ma mère en se tordant les mains, mais elle est restée intraitable. Il nous avait trahis dans un instant difficile : elle ne pouvait lui pardonner. Elle pressentait aussi que le pire était devant nous. Nous devions être en pleine confiance. Alors il est parti. Je vois encore son visage plein de larmes, et sa silhouette qui disparaît dans la nuit.

Nous sommes montés sur des charrettes, qui ont cahoté à travers les rizières. Ce fut un périple inouï. A la demande des Khmers rouges, nous sommes descendus. Impossible de poursuivre à travers la campagne. Nous nous sommes assis dans les fossés. A l'aube, nous avons découvert une plaine aride, caillouteuse, et une oasis de manguiers bordée de bambous. Nous avons marché jusqu'à une maison : celle de notre responsable ancien peuple. Il fallait tout construire ou presque, avec les quelques personnes qui semblaient déjà vivre là. Le puits nous était interdit. L'eau du canal était brune, et beaucoup sont tombés malades.

Nous cherchions en vain du riz. La famine empirait. On a commencé à nous distribuer des bouillons d'eau tiède où flottaient des filaments verts. C'était notre repas pour la journée.

La faim est le premier des crimes de masse – si difficile à établir avec certitude, comme si ses causes mêmes étaient mangées. Staline affame ses paysans par millions. Il persécute ses élites. Ses généraux, ses médecins, ses amis, ses proches, sa famille. Les massacres sont dans les révolutions. Ceux qui réclament le renversement de la société le savent très bien et ne condamnent jamais la violence. Leur argument est toujours le même : seule la violence chasse une violence antérieure. La violence antérieure était hideuse et cruelle. La violence nouvelle est pure et bénéfique : elle transforme (pour ne pas dire : elle transfigure). Ce n'est pas une violence contre l'individu, c'est un acte politique. Or le sang purifie. Je reviendrai plus tard sur ce slogan de l'Angkar, qu'admire tant Duch : « La dette de sang doit être remboursée par le sang. »

Les purges fondent sur les uns, puis les autres, avec ou sans raison. Elles sont impossibles à arrêter. Les doctrines changent, les mains aussi, mais il y a toujours une lame, et une gorge coupable à trancher – au nom de la justice, au nom de la sauvegarde du régime, au nom du nom. Au nom de la « morale prolétarienne », dit Duch. Au nom du rien : si la gorge est tranchée, c'est qu'il y avait faute. On prête beaucoup aux grands criminels. Et on prête à Staline cette phrase extraordinaire : « Pas d'hommes, pas de problèmes. »

L'homme qui parraina l'entrée de Duch dans le parti communiste clandestin, au milieu des années 1960, s'appelle Ker Pauk. Il était réputé pour sa violence. On sait qu'il exécuta en masse. Précipita des Khmers vivants dans les puits. C'est sa troupe qui a arrêté Bophana. On l'appelait : « le grand massacreur ».

Les Khmers rouges nous observent sans cesse. Ils remarquent mes doigts fins. L'un d'eux me lance : « Tu as des doigts de bourgeois. Tu n'as jamais tenu la houe ! » Je suis un nouveau peuple, j'ai un corps de nouveau peuple : un nouveau corps – à forger, donc. Mais les travaux, les blessures, le cal, ne changent rien. Je garde ces doigts trop fins. Alors je m'éloigne des premiers rangs. J'apprends à cacher mes mains ; à serrer les poings ; à me fondre ; à disparaître.

Pendant nos entretiens, j'ai été stupéfait de voir à quel point Duch était décontracté et attentif. Un homme bien tranquille, quelle qu'ait été l'inhumanité de ses crimes. A croire qu'il les a oubliés. Qu'il ne les a pas commis. La question aujourd'hui n'est pas de savoir s'il est humain ou non. Il est humain à chaque instant : c'est pourquoi il peut être jugé et condamné. On ne doit s'autoriser à humaniser ni à déshumaniser personne. Mais nul ne peut se tenir *à la place de Duch* dans la communauté humaine. Nul ne peut endosser son parcours biographique, intellectuel et psychique. Nul ne peut croire qu'il était un rouage parmi d'autres dans la machine de mort. Je reviendrai sur le sentiment contemporain que nous sommes tous des bourreaux en puissance. Ce fatalisme empreint de complaisance travaille la littérature, le cinéma et certains intellectuels. Après tout, quoi de plus excitant qu'un grand criminel ? Non, une feuille de papier ne sépare pas chacun de nous d'un crime majeur. Pour ma part, je crois aux faits et je regarde le monde. Les victimes sont à leur place. Les bourreaux aussi.

Mon père était grand et raide. Le front large, les yeux perçants, il impressionnait. Quelle que soit la saison (avant 1975, bien sûr, je parle de l'ancien régime), il portait une chemise blanche, des boutons de manchettes, une cravate et un costume croisé, de rigueur dans les ministères. Sa langue de travail était restée le français.

Il fumait beaucoup, et j'aimais lui apporter son étui de métal. J'allumais sa dernière cigarette de la journée. Je garde cette image de lui, pensif. Ma mère lit un journal à ses côtés, perdue dans les volutes.

Parfois, il venait me chercher à l'école. Il discutait avec le directeur. Je me tenais à distance, un peu effrayé par ces hommes sérieux qui semblaient avoir tant à se dire. Il arrivait qu'il assiste à mes entraînements de taekwondo. Il s'adossait à un arbre, silencieux, attentif – les yeux mi-clos. J'étais fier de lui. Fier de sa présence, fier de son regard. Il me souriait, avant de disparaître.

Il était né dans une famille de paysans qui survivait à la frontière vietnamienne, dans les années 1920. Ils étaient neuf ou dix enfants. Tout est incertain dans la terre grasse des rizières, où les os blanchissent en une saison. Pour ces paysans, pas d'état civil, pas d'histoire, mais le décompte des heures et des bêtes.

Mon père a eu un destin à part : son propre père l'a choisi pour être éduqué. Pourquoi lui plutôt qu'un autre, c'est une énigme. Ses frères et sœurs étaient aux champs, à repiquer le riz ou à garder les troupeaux. Lui était à l'école à Phnom Penh. Il ne m'a jamais parlé de cette époque, mais il a dû se sentir heureux et bien seul, dans la capitale où les élèves riaient de ses pauvres vêtements.

Il est devenu instituteur, puis inspecteur d'école primaire, puis chef de cabinet au ministère, pendant près de dix ans. Il lisait beaucoup, des journaux, des revues, des livres. Sans parler des dossiers innombrables qu'on venait lui faire signer jusqu'à la maison, tard le soir. Il aimait discuter et réfléchir. Je sais qu'il aurait voulu progresser davantage dans la connaissance. Pas facile quand on a été un petit paysan de la frontière, et qu'on a soi-même neuf enfants.

L'enseignement était son combat. Il admirait Jules Ferry et l'école publique française. Il avait une idée fixe : pas de développement économique et social sans éducation. Il n'en démordait pas. Il était pur, jusqu'à la naïveté.

A sa façon, mon père avait réussi, mais la vie matérielle ne l'intéressait pas. Des tiges d'acier dépassaient des pilotis et du toit de la maison. Il s'en moquait, vivant pour son métier. Très vite, sous les Khmers rouges, il n'a plus eu le droit de porter de lunettes. Alors l'éducation n'a plus compté que dans la propagande. Alors ce monde n'a plus été le sien.

Le vieil homme me fixe sans ciller. Une pointe d'ironie ; de douceur dans son regard. Il soupire. J'observe sa main gauche blessée. Je reprends ma question : « Monsieur Duch, est-ce que vous entendiez les cris des prisonniers qu'on torturait pendant des jours et des semaines ? » Il me dit que non, il n'entendait pas. D'ailleurs il ne pouvait pas entendre. Il travaillait à ses dossiers, dans son bureau, *loin des cellules et des salles de torture.* C'est moi qui souligne. Là, pas de cris, mais du papier, des mots, des annotations : la vérité prolétarienne.

Or, pour qui connaît les lieux, leur histoire, pour qui a parlé aux rares survivants, mais aussi aux employés de S21, pour qui a détaillé l'ensemble du processus d'extermination, depuis l'entrée des prisonniers dans le centre jusqu'aux aveux écrits que ne cesse de lire et d'amender Duch lui-même, il ne peut y avoir de doute : c'est un mensonge. Pendant quatre ans, quoi

qu'il ait fait dans son bureau, Duch a entendu
les cris des suppliciés.

J'observe son visage : souriant, frêle dans sa
chemise noire, à plus de trente ans ; en famille,
les traits creusés, aux côtés de Mâm Nay
– il a un stylo dans sa poche ; aujourd'hui,
moqueur, le doigt levé. Je note dans mon cahier
ses différents prénoms et noms : Yun Cheav ;
Kaing Cheav ; Keav ; Kaing Yun Cheav ; Kaing
Guek Eav ; Doan ; Hang Pin. Je n'en retiens
qu'un seul : Duch.

Je me souviens que mon père aimait réciter
des poèmes dans son français impeccable.
Combien de fois l'ai-je entendu murmurer
« Cheveux noirs, cheveux noirs, caressés par
les vagues »... C'est le début d'un poème de
Prévert. Une ritournelle que je ne comprenais
pas. J'en ai trouvé le texte, il y a quelques
années, puis je l'ai perdu, comme s'il ne devait
rester que cette chevelure sans corps, ces mots
orphelins. Comme si les champs de la mort
avaient gagné, débordé le pays, emporté

jusqu'aux chansons douces. Bien sûr, je dresse un portrait idéalisé de mon père, tant il m'a impressionné par sa force morale face aux Khmers rouges. Dans nos sociétés démocratiques, l'homme qui croit à la démocratie nous semble ordinaire. Voire ennuyeux. Aussi, dans mon bureau parisien, je garde devant moi son portrait un peu jauni : qu'il y ait une puissante banalité du bien. Ce sera sa victoire.

J'ai mangé des racines de papayer ; du bananier ; et de la peau de vache séchée. Oui, de la peau de vache. Comme le héros de *La ruée vers l'or*, qui cuit longuement ses chaussures avant de découper lacets et semelles, en évitant les clous. J'ai mâché cette peau immangeable pendant des heures. Je n'en pouvais plus, mes mâchoires devenaient cuir et bois. Mais cette peau grillée, elle sentait bon la vache. Alors je mâchais.

Pendant des semaines, je n'ai mangé que du liseron d'eau, qui est aussi la nourriture des cochons. J'ai aussi été celui qui mange des épluchures.

Je me souviens avoir vu, sur d'autres images d'archives, des cochons se promener dans la

Bibliothèque nationale de Phnom Penh, vidée par les Khmers rouges. Ils bousculaient des chaises et piétinaient des épluchures. Les cochons remplaçaient les livres. Et nous remplacions les cochons.

Mon père s'est épuisé physiquement et moralement. Le nouveau régime le privait de son métier et de sa raison de vivre. C'est lui qui devait être rééduqué désormais. Il ne savait rien. Pire : il savait mal. Les livres et les journaux avaient disparu – interdits et brûlés, pour la plupart. Mon père n'avait donc plus que sa mémoire, cette réserve de mots poétiques et vains. Comme il était trop faible pour travailler aux champs ou sur une digue en construction, l'Angkar l'a affecté à un atelier de vannerie : assis en tailleur avec d'autres vieux, il tressait de l'osier. Il était malhabile. Ses doigts saignaient. Sa ceinture lui ayant été confisquée, il serrait son pantalon kaki avec des lianes.

Un de ses amis, de sang royal, venait le retrouver, le soir, et nous les entendions discuter en français, ce qui était strictement interdit. Très vite, cet homme a été déporté. Des mois plus tard, je l'ai retrouvé à l'hôpital de Battambang, où il est mort. Alors mon père s'est mis à parler seul, à murmurer des phrases que je ne comprenais plus, à rentrer dans le langage.

Autrefois, il parlait français avec mes frères aînés. Certaines de leurs expressions me sont restées, qui me font rire aujourd'hui. A l'époque elles m'impressionnaient. Le prince, lui aussi, discourait devant de grandes foules. Il ne parlait pas, il hurlait. Je me souviens de mon père écoutant une retransmission à la radio, silencieux, debout dans la pénombre. Parfois il soupirait. J'avais six ans, j'observais cet homme sévère qui fumait, les yeux mi-clos. Je sentais qu'il n'était pas d'accord. Aujourd'hui, je sais : la politique est un cri.

Il me semble que j'avais déjà une sorte de maturité, mais je n'étais évidemment pas prêt à un tel déferlement de violence. Du jour au lendemain, l'école a disparu. On nous a demandé de teindre nos vêtements : adieu, chemises claires, adieu, sarong à fleurs colorées. Tout est devenu marron foncé, gris ou bleu nuit. On utilisait un fruit à pulpe grasse qui dégorge du noir. Nous avions les mains flétries. Le pyjama ample est devenu notre uniforme à tous. Les Khmers rouges ont interdit les lunettes et le mariage d'amour. Ils ont interdit des mots : « femme », par exemple, ou « mari », à connotation sexuelle et bourgeoise. Ils ont imposé leurs slogans : « Si tu as la mentalité révolutionnaire, camarade, tout t'est possible ! » On nous a enseigné sans fin les douze commandements révolutionnaires. Voici le premier : « Le peuple des ouvriers et des paysans tu aimeras, honoreras et serviras » ; le deuxième : « Le peuple tu serviras, où que tu ailles, de tout ton cœur et de tout ton esprit » ; et un pan du douzième : « Contre tout ennemi, contre tous les obstacles tu lutteras avec détermination et courage, prêt à tous les sacrifices jusqu'à celui de ta vie pour le peuple, les ouvriers, les paysans, pour la Révolution, pour l'Angkar, sans hésitation et sans relâche ».

Tous les prénoms ont été changés. Quoi de plus individualiste qu'un prénom ? Quoi de plus dangereux qu'une identité ? Une seule syllabe suffit bien, puisqu'il n'y a pas d'être. Les religieux ont été pourchassés. Les écoles et les pagodes, aux murs solides, sont devenues des centres de torture, des hôpitaux, ou des dépôts de nourriture. Le « nouveau peuple » a été envoyé à la campagne, pour accomplir les tâches les plus dures et y perdre son ancienne peau. Les terres ont été collectivisées. L'objectif affiché était de tripler la production annuelle de riz, grâce au développement de l'irrigation. Toutes nos pensées, tous nos actes étaient guidés par ce principe : « 3 tonnes de riz par hectare », et, pour certains chefs zélés, « 5 tonnes de riz par hectare ». Ces chiffres étaient une ritournelle, une obsession – une vision.

Le Kampuchea démocratique est devenu un chantier : on creusait des canaux, on édifiait des digues, on détournait les fleuves. Une immense famine s'est ensuivie. Il est apparu que ce chantier était un camp de travail.

Tout a été soumis à l'Angkar, organisation mystérieuse et omnipotente : la vie sociale, la loi, la vie intellectuelle, la sphère familiale, la vie amoureuse et amicale. Je ne connais pas d'exemple, dans l'histoire, d'une telle emprise, presque abstraite à force d'être absolue : « Il n'y a plus de ventes, plus d'échanges, plus de plaintes, plus de jérémiades, plus de vol ni de pillage, plus de propriété intellectuelle. » Je ne connais pas le nom de ce régime politique – le mot *régime* lui-même ne convenant pas. C'est un état de «non habeas corpus». Dans ce monde, je ne suis plus un individu. Je suis sans liberté, sans pensée, sans origine, sans patrimoine, sans droits : je n'ai plus de corps. Je n'ai qu'un devoir : me dissoudre dans l'organisation.

Je me souviens aussi de ce slogan : « Seul un enfant qui vient de naître est pur. » Qui donc est pur ? Le nourrisson qui cherche le sein de sa mère ? Le petit garçon au visage flou, à sa droite, qui regarde le photographe ? Ou le jeune homme qui entre dans la salle de banquet ? Ce jeune homme souriant marche vers nous. Son nom de guerre est Duch. Nous étions tous impurs et nous l'avons payé.

Les « camarades interrogateurs » de S21, répartis par équipes, ont tous torturé. Quant aux chauffeurs et gardiens, il est établi qu'ils ont tous consigné les aveux, transporté les prisonniers jusqu'à Chœung Ek, où ils les ont exécutés puis enterrés.

Duch : « Toute l'unité d'élite de la division 703 a tué, ils sont à S21 pour ça ! Ceux qui ont transporté les prisonniers comme ceux qui étaient en permanence à Chœung Ek. Ils ont simplement peur de vous parler, ces pauvres gars. Mais ne les accablez pas. J'endosse toute la responsabilité ». Et il rit.

Pendant ces années, il était strictement interdit à ces hommes de quitter S21. Ils travaillaient de 7 heures à minuit, chaque jour, sans répit. Ils dormaient, mangeaient et étaient soignés sur place – sauf en cas de maladie grave. Pas de famille, pas d'amis, pas de femmes, pas de loisirs, pas de visites, pas de livres, pas de courrier. Rien que la torture et la mort.

De temps à autre, ils étaient réunis par Duch, qui leur enseignait sa méthode et la dialectique de l'Angkar. Ils faisaient leur autocritique devant leurs camarades, autocritique qui était consignée puis transmise à Duch. Par ce contrôle permanent, on connaît certaines des pires exactions commises dans le centre.

Duch me raconte lui-même que son institutrice a été violée avec un morceau de bois par un des bourreaux : un fait très grave pour lui, car ce n'était pas une torture codifiée.

Je pense à la jeune femme qui fit la classe, autrefois, à un enfant pauvre et brillant. Je pense à l'enfant qui fut envoyé au collège à Siem Reap puis à Phnom Penh. Je pense à l'enfant qui plus tard enseigna les mathématiques dans un collège, à Skoun, fit de la prison, rejoignit la guérilla, devint « chef de la sécurité » du Kampuchea démocratique. Je pense à son institutrice qui fut frappée, électrocutée, affamée pendant des jours et des semaines. Je pense au bourreau qui força son vagin avec un morceau de bois. Je pense à son mari, emprisonné au même moment à S21, qu'on obligeait à manger ses excréments. Je pense à la femme qui avoua tout, puisque c'était la règle : elle confirma qu'elle était membre du KGB, de la CIA ou des services secrets vietnamiens, elle donna des noms de traîtres et d'agents. Elle dénonça tout son « réseau ». Puis elle fut exécutée, puisqu'elle avait trahi son peuple et son pays. Elle n'était plus une femme mais un déchet.

Je pense à ce pauvre prisonnier, une nuit de torture, dont on couvrit le visage de ciment parce qu'il refusait d'avouer. Duch fut très mécontent : ce n'était pas une torture codifiée.

Duch : « L'essentiel était que j'accepte la ligne du parti. Les personnes arrêtées étaient des ennemis, pas des hommes. Camarades, n'ayez pas de sentiment ! Interrogez ! Torturez ! J'ai transféré le langage de tuerie sur le papier, en irriguant la pensée de mes subordonnés à S21. J'ai souvent organisé des séances de formation. »

Dans les années 1960, le Cambodge vivait dans une paix fragile. L'engagement de mon père pour l'éducation de tous n'était pas un rêve, mais l'écart entre les villes et les campagnes était immense. C'est sur cette injustice qu'ont prospéré les Khmers rouges. Car il y a une sagesse du peuple des campagnes – on la ressent, je crois, dans certains de mes films. Il y a aussi une dimension artistique et un savoir-faire traditionnel qui ont été méprisés. Qui a cherché à développer le travail des sculptures, le goût pour la poésie, la richesse de la langue khmère, la beauté de l'artisanat ? Qui a cherché à connaître et à éduquer ces pauvres gens ? Personne ou presque. Des régions entières ont été délaissées. Par les

Français, du temps du protectorat, qui fut cruel, injuste et dura quatre-vingt-dix ans. Par les Cambodgiens eux-mêmes, quand l'indépendance fut proclamée. Seuls les révolutionnaires ont donné la parole à ces paysans maltraités et oubliés.

Comme souvent dans les révolutions, les responsables khmers rouges étaient issus de familles plutôt aisées : Pol Pot, Khieu Samphan, Ieng Sary, Ieng Thirith ont vécu à Paris pendant plusieurs années, où ils ont étudié Rousseau et Montesquieu, les Lumières et la Révolution française, parfois Marx, certains textes de Staline ou de Mao. Ils ont créé des cercles de réflexion. Voyagé en Europe de l'Est. Rencontré des camarades de tous pays, algériens en particuliers. Certains se sont inscrits au Parti communiste français. Ils ont approfondi leur cause. Puis ils sont rentrés au Cambodge. A la même époque, à Phnom Penh, Duch lisait *Le Capital* de Marx, mais surtout *La démocratie nouvelle* de Mao, en khmer et en français.

Aujourd'hui encore, mon père est pour moi une boussole : un résistant à sa manière. Parler français dans un village khmer rouge, alors que les grands crimes ont commencé, alors qu'on est soi-même fils de paysan illettré, c'est un acte politique qui signifie : ce langage est à moi. Je l'ai acquis pour être un homme, et pour le transmettre. Alors faites la révolution. Répétez vos slogans à l'infini. Mais cette conscience et ce savoir, vous ne pourrez pas me les retirer. Si vous voulez mon silence, il faudra me tuer.

A qui Duch ne voudrait-il plaire ? Qui ne veut-il emporter dans son enfer intime et sophistiqué ? Un après-midi que son attitude m'excède, je lui demande : « Comment un intellectuel comme vous a-t-il pu agir de la sorte ? » Il me lance : « C'est ainsi. Qu'est-ce que vous voulez que je fasse maintenant ? » Moi : « Vous pourriez vous tuer, par exemple. Vous n'y avez jamais pensé ? » Il a un instant d'hésitation : « Si. Mais ça n'est pas si facile. » Moi : « Mon père l'a fait, vous savez. » Alors Duch se met en colère, sa voix devient aiguë et menaçante : « Oui, c'est ça ! Votre père, c'est un héros ! » Je réponds doucement : « Je ne crois pas. Il a mis ses actes en accord avec ses idées. Il se respectait. Vous avez fait la révolution pour la justice, non ? Etre un héros me semble facile : sauter sur une mine ; mourir pour sa cause ; c'est un état de guerre. Mais être un homme ; chercher la liberté et la justice ; ne jamais abdiquer sa conscience : c'est un combat. » Duch ne répond pas. Ses grands yeux regardent derrière moi, est-ce le garde, un mur, la caméra, le passé ?

Sur la table de travail de Pol Pot, dans la jungle, il y a des livres de Marx, Lénine et Mao. Un cahier. Des crayons. A côté, un lit de camp, et un krama parfaitement plié. Simplicité et vérité de la révolution. Je me suis souvent arrêté sur cette image de propagande. Qu'ont-ils fait de leurs idées pures ? Un pur crime.

Je voudrais que ces pages soient loin des slogans khmers rouges, loin de la violence. Loin de la révolution.

On nous a longtemps privés de douceur et de sensibilité. Maintenant que le Cambodge a retrouvé une forme de liberté, une forme de paix, maintenant que sa belle jeunesse emporte tout, jusqu'à l'histoire, jusqu'au souvenir, je voudrais que ce livre nous rende la noblesse et la dignité.

Dès notre première rencontre, Duch définit précisément les « ancien peuple » : les paysans, les ouvriers, les techniciens de la révolution. J'insiste sur cette dernière catégorie. C'est ainsi que Duch se voit : un technicien. Ou : un technicien de la révolution. Quelques instants auparavant, il a affirmé : « Le mouvement doit avancer de façon souple, légère, qu'il n'y ait plus aucun obstacle. La vie de chaque cadre, spécialement du nouveau peuple : on n'y pense pas. » Un autre jour : « Ils ne pensent pas à la vie des gens. Ils pensent à l'intérêt du mouvement. »

« Technicien de la révolution » : cette qualification à part permet bien sûr d'échapper à toute classe. Un révolutionnaire, même éduqué, même d'origine bourgeoise, est un « ancien peuple ». Il est aux côtés des paysans et des ouvriers. Son travail de révolutionnaire le transforme et le sauve, le rapproche de l'ancien royaume khmer et de l'idéal communiste.

Cette qualification montre d'emblée la fausseté – pire : la réversibilité – des classes définies par les Khmers rouges. Qu'est-ce qu'un paysan ou un ouvrier, qu'est-ce qu'un médecin, un avocat ou un « féodal »... si certains intellectuels échappent à leur classe ? S'ils sont lavés par l'Angkar de leur impureté originelle ? S'ils échappent à la rééducation ou à la mort ? Définir les êtres, les classer, c'est les réduire au classement même – autrement dit : à son désir. Définir les êtres, ce n'est pas travailler à la justice, à l'égalité, à la liberté, ce n'est pas préparer un horizon de lumière. C'est organiser l'anéantissement.

Puis vient la question de la technique. Pour l'Angkar, la révolution n'est pas une idée ou une pensée, mais une technique qu'on acquiert par des actes. La révolution n'est pas une aspiration : elle est une pratique codifiée. Le « technicien de la révolution » est aussi un « instrument de la révolution », et la plus haute distinction du régime est : « Instrument pur de la révolution ». Pureté de la technique. Duch se plaint que S21 n'ait jamais obtenu ce titre.

Pendant mes entretiens avec ce « technicien », j'apporte du matériel : photocopies d'articles, slogans khmers rouges, photographies de victimes ou de révolutionnaires importants, confessions de prisonniers annotées par lui. J'admire infiniment le travail de Claude Lanzmann, fondé sur la parole et l'organisation de la parole. C'est le génie de *Shoah* : donner à voir dans les mots.

Mais je crois que la parole peut être réveillée, amplifiée, étayée, par des documents, quand ceux-ci ont échappé à la destruction. C'est le cas à S21, où des dizaines de milliers de pages ont été abandonnées dans la déroute de 1979, face aux troupes vietnamiennes. Il est parfois utile de glisser un signe dans les mains de celui que je filme. Histoire de lui dire aussi : attention, j'en sais plus que tu ne crois, ne me mens pas.

Dès ce premier jour, j'ai donc apporté à Duch une cinquantaine de pages : sur chacune, j'avais copié un slogan de l'Angkar. Je lui ai demandé d'en retenir un seul. Certains sont menaçants ; d'autres énigmatiques ou d'une froide poésie. Il a mis ses lunettes, et a parcouru l'ensemble. Il semblait hésiter. Puis il a posé sa main sur une page et a lu doucement : « A te garder, on ne gagne rien. A t'éliminer, on ne perd rien. » Il a regardé au plafond : « C'est une phrase importante. Une phrase très profonde. Ce slogan vient du Comité central. » Puis il a ajouté : « Vous avez oublié un slogan encore plus important : la dette de sang doit être remboursée par le sang. » J'étais surpris : « Pourquoi celui-ci ? Pourquoi pas un slogan plus idéologique ? » Duch m'a fixé : « Monsieur Rithy, les Khmers rouges, c'est l'élimination. L'homme n'a droit à rien. »

Bien sûr, on peut détourner le regard. Perdre son objet. Le laisser s'écarter, flotter, disparaître – un simple mouvement des yeux suffit. Bien sûr, on peut ne pas regarder un pays ; ne pas savoir où il se trouve ; soupirer à l'évocation répétitive d'un nom malheureux. On peut même décider que ce qui a eu lieu est incompréhensible et inhumain. Alors, on détourne le regard. C'est une liberté universelle. Se dire qu'une autre image chassera celle-ci ; que les mots peuvent être remplacés, ou effacés. Eh bien c'est fait : Je ne vois plus cet homme qu'on force à manger ses excréments à la cuillère, en sanglant ses mains, ses bras, son cou, en écartelant sa mâchoire, en écrasant sa langue. Je ne vois plus cet Occidental qu'on enserre dans cinq pneus, et qu'on enflamme vivant au milieu de la rue, à côté de S21. Un gardien me raconte qu'il le voit faire des gestes désespérés dans les flammes, avant de s'effondrer. Duch précise : « Je ne sais pas ce qui s'est passé. Je n'ai rien vu. Nuon Chea a donné l'ordre de le brûler : qu'il ne reste rien. Ni os. Ni chair. Il ne nous a pas dit de le brûler vivant. » Je ne vois plus ce nourrisson lancé contre un arbre. Je ne les vois plus. Je ne vois plus.

Je retrouve ces notes prises lors de la sortie de *S21 – La machine de mort khmère rouge* : « C'est au cinéaste de trouver la juste mesure. La mémoire doit rester un repère. Ce que je cherche, c'est la compréhension de la nature de ce crime et non le culte de la mémoire. Pour conjurer la répétition. » Plus loin : « La base de mon travail documentaire est l'écoute. Je ne fabrique pas l'événement. Je crée des situations. J'essaie de cadrer l'histoire, le plus humainement possible, au quotidien : à la hauteur de chaque individu. » Enfin : « Je n'ai jamais envisagé un film comme une réponse ou comme une démonstration. Je le conçois comme un questionnement. » A ceux qui ont fui à temps, à ceux qui ont échappé aux Khmers rouges, à

ceux qui ont oublié, ou qui ne veulent pas voir,
je donne ces images : qu'ils puissent voir ;
qu'ils voient.

Un matin, on nous a rassemblés en cercle,
adultes et enfants du village. Nous nous sommes
assis, inquiets, silencieux. Une femme s'est avan-
cée au milieu de nous, en larmes. Elle tremblait.
Son fils, qui était plus jeune que moi et que je
connaissais bien, s'est levé et s'est adressé à elle
violemment. Je n'ai pas oublié son regard fixe
et sa voix de métal. Il criait : « Tu es une ennemie du peuple. Les mangues que tu as cueillies
appartiennent à l'Angkar. Tu n'as pas le droit
de les prendre et de les garder pour toi. C'est
une attitude bourgeoise et honteuse. C'est une
trahison. Tu dois être jugée par la communauté. »

La femme écoutait, tête basse, son fils de
neuf ans qui l'insultait. J'étais stupéfait, d'autant
que j'avais moi-même ramassé des mangues,
sans me rendre compte du risque que je courais... Si un enfant dénonce sa propre mère,
alors tout est possible. La politique emportait
tout, et quelle politique ! Ce matin d'hiver

presque frais, j'ai ouvert les yeux sur le temps nouveau. La femme s'est redressée, le regard lointain, et elle a reconnu sa faute, longuement. « Oui, j'ai cueilli des mangues. Je les ai cueillies en secret. Je voulais les garder pour mon fils et pour moi. C'est une attitude individualiste et bourgeoise. Je n'ai pensé qu'à moi. J'ai commis une erreur. J'ai honte. J'ai oublié le peuple et j'ai lutté contre lui. Je dois changer. Améliorer mon comportement. J'implore le pardon de l'Angkar. J'implore le pardon du peuple. » Je n'ai pas le souvenir de l'avoir revue, par la suite.

Les cadres khmers rouges scrutaient nos réactions : il n'y en avait aucune. Chacun se tenait, raide, silencieux : les yeux vides. La peur me serrait la gorge. Quelques jours plus tard, mes sœurs et moi avons été dispersés dans la région. Mes parents restaient au village, avec mes jeunes neveux. Il fallait que l'individu soit dissous dans l'organisation et se conforme au slogan : « Renonce à tous tes biens, à ton père, à ta mère, à ta famille ! »

Est-ce à cette époque qu'une coupe de cheveux unique a été instaurée dans tout le pays ?

Ou plus tôt, en même temps que l'interdiction définitive des vêtements de couleurs ? Je me souviens qu'à Kôh Tauch, les cheveux longs, même noués, avaient disparu. Symbole féminin, donc sexuel. Signe de laisser-aller. Ou volonté de se différencier. Tous les cadres khmers rouges ont pris modèle sur Pol Pot : coupe franche derrière les oreilles. Et la coupe « oméga » pour les jeunes filles, comme l'appelaient secrètement mes sœurs : une frange ; et les cheveux sur la nuque. Mais attention : se raser la tête était très mal vu également, car on pensait aux bonzes – l'enfant que j'étais ne l'a appris que plus tard.

A nouveau, je m'interroge : quel est le régime politique dont l'influence va de la chambre à la coopérative ? Qui abolit l'école, la famille, la justice, toute l'organisation sociale antérieure ; qui réécrit l'histoire ; qui ne croit pas au savoir et à la science ; qui déplace la population ; qui contraint les relations amicales et sentimentales ; qui régit tous les métiers ; forge des mots, en interdit d'autres ? Quel est le régime qui envisage une absence d'hommes plutôt que des hommes imparfaits – selon ses critères, j'entends ? Un marxisme tenu pour une science ? Une idéocratie – au sens que l'idée emporte tout ? Un « polpotisme », travaillé par la violence et la pureté ?

La réponse est peut-être dans l'emblème du Kampuchea démocratique : deux rails de chemin de fer traversent des rizières, symétriques comme des parcelles de ciment. Une usine ferme l'horizon, avec ses toits en crémaillère et ses cheminées. Nulle échappée possible. En fait, les rails n'en sont pas, même s'il est impossible de ne pas y penser. Ce sont deux murets qui mènent à une digue. Et cette perspective vers l'usine est un canal d'irrigation, guidé vers un barrage. Le Kampuchea démocratique, c'est l'irrigation et l'usine : les paysans et les ouvriers.

Bien sûr, il s'agit d'un emblème de combat, un signe noir et volontaire, dans la tradition des affiches soviétiques. Tout commence par le travail et rien ne vaut que par lui. Aucun être. Aucun visage. Aucune joie. Même les tresses de blé sont des lauriers inquiétants.

Je suis frappé par une évidence : les lignes droites ne disent pas : Nous rêvons d'atteindre cet horizon. C'est notre grand soir. Elles disent : Il n'y a qu'une voie, il n'y a qu'une destination : c'est un bâtiment industriel dont s'échappe la fumée. Comment ne pas penser à l'enfermement et à la destruction ? Pour moi, ce sceau signifie : il faudra sarcler, piquer, repiquer, tremper, sécher, battre, forger, usiner, fondre bien des hommes pour que ce monde advienne.

Je me souviens du jour où un cadre du parti m'a demandé comment je m'appelais. « Rithy » devait disparaître : prénom bourgeois. A treize ans, je suis devenu le « camarade Thy ». Un an plus tard, j'ai eu des poux par centaines et j'ai dû me raser la tête. On m'a appelé « camarade chauve ». Par la suite, je me suis blessé au pied gravement. Comme je marchais avec difficulté, je suis devenu « camarade tracteur ». A une époque où mon comportement irritait les Khmers rouges, ils m'ont dit : « Tu as une démarche de "fils de conseil" » (ils ont articulé « conseil » en français, ce qui signifiait pour eux « ministre »), une démarche arrogante. Et c'est devenu mon nom : « fils de conseil ».

Je comprends qu'on change de nom et de prénom dans la clandestinité. Mais réduire l'autre à un geste, à une mécanique, à une parcelle de son corps, ce n'est pas propager la révolution. C'est déshumaniser. C'est tenir l'être dans son poing.

Jusqu'à la libération, je suis resté le « camarade chauve », et c'était très bien ainsi : je ne portais plus le nom de mon père, trop connu. J'étais sans famille. J'étais sans nom. J'étais sans visage. Ainsi j'étais vivant, car je n'étais plus rien.

Des affections, sixième fragment sur les institutions républicaines, de Saint-Just :

« Tout homme âgé de vingt et un ans est tenu de déclarer dans le temple quels sont ses amis. Cette déclaration doit être renouvelée, tous les ans, pendant le mois de ventôse.

Si un homme quitte un ami, il est tenu d'en expliquer les motifs devant le peuple dans les temples, sur l'appel d'un citoyen ou du plus vieux. S'il le refuse, il est banni.

Les amis ne peuvent écrire leurs engagements : ils ne peuvent plaider entre eux.

Les amis sont placés les uns près des autres dans les combats.

Ceux qui sont restés unis toute leur vie sont renfermés dans le même tombeau.

Les amis porteront le deuil l'un de l'autre. Le peuple élira les tuteurs des enfants parmi les amis de leur père.

Si un homme commet un crime, ses amis sont bannis.

Les amis creusent la tombe, préparent les obsèques l'un de l'autre. Ils sèment les fleurs avec les enfants sur la sépulture.

Celui qui dit qu'il ne croit pas à l'amitié, ou qui n'a point d'amis, est banni.

Un homme convaincu d'ingratitude est banni. »

Je relis ce discours, où il y a beaucoup d'ordres, et peu d'amitié : « Celui qui n'a point d'amis est banni. » Quel est le régime politique le plus inhumain ? Celui qui édicte le bien de l'homme. Alors il n'y a plus de citoyen. Ni de sujet pensant.

Pour l'Angkar, il n'y avait pas d'individus. Nous étions des éléments. Des unités mathématiques. Une matière neutre, rassemblée pour des raisons pratiques en groupe de cinq ou de dix, garçons, filles, jeunes ou moins jeunes. Nous n'étions jamais seuls. Et nous étions bannis.

J'ai été envoyé « au front » – sur un chantier qui se trouvait à cinq heures de marche du village de mes parents. Nous avions entre dix et quatorze ans, y compris les chefs d'unité. Seules les « maîtresses » – qui nous enseignaient l'idéologie – avaient dix-huit ans. Nous avons tout mis en commun. Tout. Jusqu'ici, on faisait bouillir l'eau des rizières, avant de la boire. J'avais appris à faire du feu en frottant des morceaux d'assiettes contre du métal. Les étincelles enflammaient le coton des fruits du kapok, dans un bambou.

Mais un cadre khmer rouge s'est avancé : « Pourquoi faites-vous du feu ? C'est interdit ! Le feu est réservé à la coopérative. » Des fouilles ont eu lieu et on nous a tout confisqué, y compris les bidons et les seaux. Rien ne nous appartenait plus. J'ai donc suivi l'exemple de mes camarades : prenant mon courage à deux mains, j'ai bu l'eau des flaques et des champs.

J'ai tout de suite été affecté à la construction d'une digue. Nous étions des centaines, armés de pelles, de palanquins et de brancards en bambou. Nous formions une noria épuisée sous le soleil tropical. Aucune machine de terrassement ne semblait disponible. Le message était clair : nous, révolutionnaires, sommes ici par la force de nos bras ; nous faisons mieux que toutes ces machines.

Je connais un film de propagande répétitif et fascinant : on y découvre une Peugeot 404, transformée en moulin à aubes. Deux « techniciens de la révolution » s'affairent à ses côtés et sourient à la caméra. Voici ce que nous faisons de ces moteurs, de cette tôle, de cette civilisation. Voici ce que nous faisons des mécaniques impures : elles sont affectées au groupe. Désormais, elles participent à l'irrigation de nos champs. Par ce nouvel usage, les voitures sont « nouveau peuple ». Elles ont été rééduquées, elles aussi.

Dès l'aube, je creusais. J'étayais. Nous ne parlions pas. La tâche semblait immense. J'ai aussi travaillé aux champs : courbé vers la terre, du haut de mes treize ans. A ne penser à rien. A écouter les hymnes crachés par les haut-parleurs. Un soir, j'ai eu la vision fugitive de mon grand-père paternel : je sarclais comme lui. J'étais un enfant du royaume d'Angkor.

Les archives sont vivantes. Rien n'est silencieux. Une photo. Une feuille de papier marquée au rouge. Je pense à cette femme, qui refuse d'être photographiée de face en entrant à S21. Elle est professeur. Elle se tient de trois quarts et elle sourit presque. Dans une de ses confessions manuscrites, elle évoque Cuba, qui était aussi sur la voie de la révolution, où « on ne tue pas tout le monde ; où on n'affame pas les gens ». Trente ans après, le message nous parvient. Il est souvent combatif. Parfois désespéré, mais pas toujours. A nous de guetter cette parole, ce murmure, à nous d'évoquer Taing Siv Leang, j'écris ici son nom, afin qu'il demeure en nous, et son sourire.

A la nuit tombante, nous quittions les rizières. Nous regagnions nos hamacs après un court repas : ils étaient sanglés à deux grands palmiers, les uns au-dessus des autres. Il y en avait ainsi huit ou neuf, en espalier, à cause des serpents, des fourmis géantes, des scorpions et des araignées. Ces tresses de corde noire étaient notre refuge. Elles nous protégeaient de la nuit, de ses bruissements, de ses cris. Elles nous berçaient. A tour de rôle, l'un de nous tisonnait le feu, au pied de l'arbre immense, pour que nous puissions rester secs malgré la rosée – nous n'avions qu'un seul vêtement.

Je m'installais dans le hamac du milieu, et j'inventais une histoire de fantômes, dans la tradition khmère. Les garçons de mon groupe me les réclamaient.

Je me souviens d'un conte, que je rapporte ici en quelques lignes, mais que je savais étirer toute une soirée, à force de détails. La nuit gagnait, bavarde, inquiétante, mais nous avions les mots.

Un voyageur passe devant un village à l'abandon. Il entend au loin le hurlement des loups. Il passe devant une maison, puis une autre. Personne. Tout le monde sait que ce village est hanté par les fantômes, sauf le voyageur. Une bonne odeur de soupe aux épices flotte autour de la troisième maison, dont l'homme s'approche. Une femme joliment vêtue le salue et l'interroge sur sa destination. Le voyageur lui dit la vérité : il a faim, ça sent très bon chez elle... La femme lui propose aimablement une soupe aux épices. Elle disparaît quelques instants, puis revient : tous deux s'asseyent sur une natte, ils parlent, se découvrent, et le voyageur mange l'excellente soupe. Il oublie le hurlement des loups autour du village abandonné. La femme se penche vers lui, le regard brillant. Mais à l'instant où elle va le resservir, la louche tombe entre deux planches, sous la maison. Alors la femme ouvre sa jolie bouche, sort sa langue, qui s'étire, s'étire, se glisse à travers le bois jusqu'au sol, et saisit la louche... Une sorcière ! Le voyageur se lève brusquement. Mais trop tard : elle lui sourit et le tue.

Grâce à mes talents de conteur, j'ai quitté la digue, les rizières, et j'ai été affecté aux cuisines de la coopérative : j'étais sauvé de l'épuisement. A mon tour, je préparais la soupe. Je faisais bouillir le riz. Je recevais la pêche, de beaux poissons réservés aux « maîtresses ». Aux cuisines, on finit toujours par améliorer son ordinaire. On peut racler les marmites, où se trouvent les graisses, le cuit, le dur – tout ce qui aide à tenir. Et le cuisinier sert les chefs : il sait qui mange quoi. Une information stratégique.

J'étais cuisinier pour les enfants : je servais donc en priorité les enfants des Khmers rouges, de même que le cuisinier des adultes servait en priorité les Khmers rouges. La plupart du temps, ceux-ci prenaient leurs repas à l'écart. Communisme ou pas, il y a une limite à l'égalité.

Le soir, j'ai continué à raconter des histoires de fantômes. Grâce à mon rôle de conteur et de cuisinier, j'ai pu rendre visite à mes parents. Le chef m'en donnait l'autorisation, de temps en temps.

Je partais seul à l'aube, sur une piste déserte, longeant des rizières jaunies. Il n'y avait pas d'arbres. Je ne croisais que deux points d'eau. Je courais presque, tant le chemin de sable brûlait mes pieds. C'était comme une poudre en feu. J'arrivais après cinq ou six heures de marche.

Mes parents avaient été déplacés. Ils étaient désormais à Trum, à quelques dizaines de kilomètres du village précédent : une plaine aride, de nouveau. Ma mère y avait construit une cabane. Elle avait trouvé des branches, qu'elle avait taillées habilement. Assemblé les planches une à une. Tassé les feuilles de palmier pour en faire un toit solide. Organisé une petite pièce à part, qui servait de cuisine.

Je passais la nuit auprès d'eux. Nos rencontres étaient brèves, mais j'étais si heureux de les retrouver.

J'ai découvert que ma mère avait réussi à conserver sa petite hache : un outil essentiel. Elle avait convaincu le responsable du village qu'elle en avait absolument besoin. Elle partait régulièrement chercher de l'eau : quatre heures de marche à l'aller, quatre heures de marche au retour, avec un jerricane en plastique. Mon père était épuisé. Il ne marchait presque plus. Il flottait dans son maillot de corps noir, qui était un héritage de l'ancien temps. Comme tous les hommes élégants d'une certaine génération, il portait un maillot blanc sous sa chemise. C'est ce dessous, trempé dans la teinture, qui est devenu son dernier costume. Il me souriait tristement à l'aube, ma mère à ses côtés.

Je cours jusqu'à la piste, à la sortie du village : la brume s'estompe déjà. Une dernière fois, je me retourne : je les regarde, je ne fais pas un geste.

Au printemps, pour changer des fantômes et des apparitions, j'ai raconté à notre groupe l'expédition fabuleuse vers la Lune – tout le projet Apollo, en fait, jusqu'aux célèbres paroles d'Armstrong, dont je ne connaissais pas le prénom. « Un petit pas pour l'homme, un grand pas pour l'humanité. » Beaucoup ne m'ont pas cru et m'ont dit : « Ce n'est pas vrai, tu inventes. C'est impossible ! ». D'autant que les Khmers ont de nombreuses fêtes liées à la Lune, des traditions, des oracles, des légendes. Quand j'étais enfant, et que j'interrogeais mes parents sur les cratères de la Lune, ils me répondaient : Rithy, ce ne sont pas des cratères. Ce sont les traits d'un vieil homme et ceux d'une vieille femme, qui habitent là-haut, sous un arbre… Je fixais l'astre froid en rêvant. Cette image ne m'a jamais quitté.

Ce soir-là, j'ai répliqué que je n'inventais rien et que j'avais vu à la télévision le cosmonaute descendre de son véhicule lunaire, le fameux LEM. L'image tremblait. Tout était lent. J'ai évoqué les premiers pas dans la poussière noire. J'ai raconté leurs expériences : Armstrong ramassant des échantillons avec une pelle. Et j'ai conclu par le retour des trois hommes sur la terre. Une voix a demandé : « Mais qui sont ces gens ? » J'ai répondu : « Des Américains. » Quelle erreur ! Il y a eu un grand silence gêné, et nous avons dormi.

Le lendemain soir, la « maîtresse » des groupes de jeunes m'a convoqué d'un ton sans appel : « Camarade Thy ! Approche ! » Je me suis avancé au milieu du cercle, elle m'a fixé d'un regard terrible : « Camarade ! Tu dois faire ton auto-critique. Tu as raconté hier que des hommes étaient allés sur la Lune, et tu as fait l'éloge des impérialistes américains. Ce sont des inventions. Des mensonges. Ton comportement est inacceptable. En colportant ces légendes, tu trahis la révolution. Tu trahis tes camarades. Nous t'écoutons. »

Elle avait sans doute entendu mon histoire, depuis sa cabane, qui était assez proche ; ou bien on la lui avait rapportée. Je ne pensais pas à mal, évidemment. Emerveillé par le projet Apollo, j'avais perdu ma méfiance. La haine de l'Amérique et du capitalisme étaient loin de moi. J'ai dû affronter les critiques des sept ou huit garçons qui m'avaient écouté la veille. Eux aussi étaient coupables : ils m'avaient écouté sans réagir, et ils m'avaient sans doute cru. Ils ont expliqué qu'ils avaient tort, qu'ils étaient tombés dans un piège, qu'ils avaient été inconséquents, qu'ils n'auraient pas dû prêter attention à mes histoires, qu'ils seraient vigilants désormais, que l'Angkar, bien sûr, guidait leur vie...

Quand ça a été mon tour, j'ai répété avec gravité ce qui avait été dit, sans trop comprendre : l'Amérique, l'impérialisme, la propagande, les mensonges, la Lune. On me fixait froidement. Surtout ne pas pleurer, ne pas trembler. Garder son calme. Ne pas aggraver son cas. Mon autocritique a été totale, car dans le monde khmer rouge, le temps n'existe pas. Je suis donc revenu en arrière, j'ai critiqué aussi mes histoires de fantômes, qui n'étaient pas assez révolutionnaires. Après une heure, j'étais épuisé. Humilié. Triste et vaincu. Le conteur était mort. Et je n'étais plus cuisinier.

Le lendemain, j'ai marché avec mes camarades jusqu'à la rizière, où mordait déjà le soleil blanc de la révolution.

Him Huy, un gardien qui vient d'être affecté à S21, rédige son autocritique :

« J'ai aidé mes parents. Ma famille. Je parle toujours correctement aux gens, même âgés.

Mes points faibles : J'utilise parfois des mots incorrects. Je me mets en colère rapidement.

J'adore m'amuser, aller au théâtre, au cinéma. Danser. Ecouter la radio. Parfois j'ai volé des fruits, mais c'était pour les manger.

Ma vie sentimentale : j'ai été amoureux d'une jeune fille. Mais je n'ai pas touché à son corps. Et je n'ai pas eu de mots incorrects. Je l'ai aimée secrètement.

Je connais mon caractère pendant la révolution. Je m'applique à accomplir les missions que le Parti communiste m'a confiées. Je n'hésite pas. Je ne proteste devant aucune mission, même si elle est difficile et me fait souffrir. Je me bats pour remplir cette mission. Points faibles. J'ai parfois des mots incorrects pour mes camarades. Je plaisante trop. Je suis très vite en colère quand je commande. Dans mon suivi de la base, je ne suis pas assez régulier, sérieux face aux activités de l'ennemi. Je prends les activités de l'ennemi trop à la légère. Je ne suis pas assez strict pendant mon travail. Pas assez intelligent et rapide dans ma mission. Je n'ai pas tiré assez d'expérience, pas assez souvent. Je reste trop léger. Il fallait que mes dirigeants m'assignent pour que je retrouve ma position.

Ce que je dois changer : je jure de corriger

mon caractère qui n'est pas révolutionnaire. Je vais le corriger de tout mon cœur. Je m'applique à reconstruire une position révolutionnaire, selon le principe de la classe prolétarienne du parti. »

A l'arrivée des Khmers rouges, les gens semblent avoir été hypnotisés, et d'abord parce qu'ils pensaient, comme mon père à sa façon, que les révolutionnaires avaient raison. De la bonne foi de l'exterminateur aux yeux de l'exterminé. Ce n'est pas seulement une question de croyance, mais de croyance rationnelle.

Je sais aujourd'hui que la vitesse est un facteur décisif – qui semble ne pas peser, rétrospectivement. Nous n'avons pas eu le temps d'être fascinés, ou même convaincus. Nous avons été immédiatement déplacés. Affamés. Séparés. Terrorisés. Privés de parole et de tous droits. Nous avons été brisés. Nous avons été submergés par la faim et la peur. Et toute ma famille a disparu en six mois.

A treize ans, je me suis tenu debout dans un wagon à bestiaux. Parfois la porte était entrouverte, mais je n'ai pas sauté.

La passion de l'aveu est redoutable. A vous faire douter de la vérité. Pire : à vous faire douter de l'importance de la vérité.

Le soir où j'ai fait mon autocritique, après avoir raconté la mission Apollo, je n'ai pas pensé un instant à m'expliquer. A me défendre. J'ai dit *ce qui devait être dit*. Je me suis conformé au désir des responsables khmers rouges. J'ai parlé pour pouvoir retourner au silence. Etre invisible, c'est être vivant ; presque un individu.

Duch évoque cet ordre qui surplombe tous les autres : la « vérité prolétarienne ». Plus tard, il attribue la formule à son supérieur Nuon Chea : « Il faut penser à la vérité prolétarienne. Ne pense pas à la vérité bourgeoise. »

Souvent, lors du tournage de *S21 – La machine de mort khmère rouge,* je demande aux « camarades gardiens » de « faire les gestes » de l'époque devant ma caméra. Je précise : je ne leur demande pas de « jouer », mais de « faire les gestes » – une façon de prolonger la parole. Si c'est nécessaire, ils recommencent dix fois. Vingt fois. Les réflexes reviennent : je vois ce qui s'est passé réellement. Ou ce qui est impossible. L'extermination apparaît dans sa méthode et dans sa vérité.

A S21, la discipline de l'Angkar est absolue : le prisonnier avoue qu'il a trahi la révolution ; il signe des aveux détaillés ; ceux-ci sont confiés au peuple en la personne de Duch, qui rend compte directement au Comité permanent de Pol Pot. Une fois ce travail de sécurité réalisé, la justice peut passer. Les yeux bandés, le coupable est conduit à Chœung Ek, où il est exécuté. Enterré. Effacé à jamais.

A S21, Duch exige un aveu : une histoire nouvelle qui efface l'histoire. Peu importe que cet aveu soit incohérent ou absurde. Celui qui raconte et bâtit cette histoire nouvelle est un traître. Il parle en traître. Il reconnaît ses crimes et ses mensonges. Il est condamné par le récit qui est exigé de lui.

Parfois Duch se met lui-même au travail. Il réécrit certaines confessions, par exemple celle de Nget You dit Hong : il raye des pages entières qui ne lui conviennent pas, et adapte les aveux forcés à ses besoins ou sa logique, avant de les faire dactylographier.

Quand on analyse précisément ce processus, quand on « fait les gestes », on voit combien

Duch a menti et ment encore. Combien sa parole ondoie. Je lui soumets ainsi une photographie, prise à l'époque par un des photographes de S21. On distingue parfaitement des taches de sang par terre et sur le mur. Duch me répond qu'il n'a jamais vu de sang dans les bâtiments.

Puis je lui donne une photographie de Bophana. D'abord il ne la reconnaît pas. Ne se souvient pas. Pourtant, le 26 septembre 1976, il notait, sous ce visage : « C'est la femme du méprisable Deth. Cette traînée est la fille du méprisable Ly Thean Chek. » Or Bophana était la fille de Hourt Chheng, un personnage respecté du district de Baray et même de la province de Kompong Thom, où enseignaient Duch et Mâm Nay... Elle l'écrit ainsi dans sa confession. Mais Duch, par cette confusion grossière, faisait de cette jeune femme la fille d'un député ennemi, donc une ennemie.

J'insiste : Bophana écrivait des lettres d'amour, Deth lui répondait en citant Shakespeare. Ces lettres, vous les avez saisies et utilisées comme preuve de sa trahison. Vous ne vous en souvenez pas ?

Duch : Ai-je fait des annotations sur le dossier de Bophana ?

Moi : Oui. Regardez, tout ce qui est en rouge est de vous. Vous avez certainement lu ces lettres...

Il examine la confession : « C'est exact... » Il soupire. Sa main gauche saisit une nouvelle page.

Duch hésite. Frôle ce visage. Demande du temps. J'insiste. A force, le souvenir revient. Et Duch finit par reconstituer, de mémoire, toute l'histoire de cette jeune femme, de son arrestation à la mort de son mari. Car il a lu, annoté, questionné ses aveux successifs, comme tous ceux des prisonniers du centre. Il a écrit « à détruire » en face de son nom, dans les registres qu'il n'a pu brûler à temps, en janvier 1979.

Pendant quatre ans, la capitale est restée entièrement vide : à l'exception du gouvernement, de quelques ambassades, et de S21. Duch reconnaît : « *Tout le monde a su, entendu et vu. Les yeux fermés, on savait qu'il n'y avait plus personne à Phnom Penh.* » C'est moi qui souligne.

Je regrette que le tribunal n'ait pas organisé des confrontations approfondies sur ces aspects – ne serait-ce que pour établir une documentation historique. Pourquoi Nuon Chea, qui fut son supérieur hiérarchique, après Son Sen, mort aujourd'hui, n'a-t-il pas été convoqué au procès de Duch, alors qu'il attend son propre procès dans la même prison ? Alors même que des centaines de confessions portent cette mention manuscrite de Duch : « A soumettre au camarade Nuon Chea » ; et parfois la mention : « A soumettre au camarade Van. » (Ieng Sary, alors ministre des Affaires étrangères, en prison aujourd'hui.) Nuon Chea et Ieng Sary sont dans leurs cellules, à trente mètres de la cour qui juge Duch.

De la même façon, certains registres auraient dû être examinés : chaque colonne, chaque ligne, chaque signature, chaque commentaire, mérite une analyse, un débat, des confrontations. C'est ainsi qu'on fait dégorger la bête.

Le procès de John Demjanjuk, accusé de complicité dans l'assassinat de 28 060 juifs à Sobibor, s'est tenu à Munich de 2009 à 2011. Selon *Le Monde*, il permet d'examiner près de 40 000 documents, « dont plus d'une centaine sont lus, patiemment, jour après jour, par les juges devant un auditoire clairsemé. (…) Une dizaine d'audiences ont été ainsi nécessaires

pour authentifier la "carte Trawniki", pièce maîtresse du ministère public. Beaucoup plus pour
évoquer Sobibor, "un camp où seules résidaient
les personnes qui allaient mourir dans la journée
et celles qui participaient à leur mise à mort",
comme il a été rappelé à plusieurs reprises. »

Duch murmure, les yeux au ciel : « Une prison immense, je l'ai bien vue ! Mais je ne voulais pas savoir ni voir la souffrance de ceux qui
y étaient. J'ai fui. Je voyais les bâtiments mais
je ne voulais pas voir la souffrance. Mes sentiments m'empêchaient de la voir. Même si je
l'ai vue, je n'ai pas fait attention. »

Plus tard : « Je n'ai aidé personne. Qui meurt
où et quand ? J'ai laissé ça au karma, et qu'on
les jette ! »

Il conclut : « Avec le temps, on oublie ces
détails sans importance. Certaines choses allaient
au-delà de l'acceptable. Pourtant je les ai faites.
C'est pourquoi je me force à oublier, pour ne pas
être trop tourmenté. Voilà comment je m'efforce
d'oublier, et à force, j'oublie vraiment. »

Alors que nous percions un canal d'irrigation, j'ai reçu un coup de pioche à l'intérieur

du pied. Le métal a entamé l'os. C'était sans gravité mais douloureux. Les premiers jours je boitais. Puis avec la terre humide, la poussière, la transpiration, la boue, l'eau stagnante, le manque de nourriture et de sommeil, la plaie s'est infectée. Elle a rougi et crû : le trou béant me faisait souffrir chaque jour un peu plus. La chair tombait comme des lames de papier mouillé. J'étais pourri, et écœuré par mon odeur de vieux sucre. Le responsable khmer rouge m'a convoqué : « L'Angkar te renvoie chez tes parents. Soigne-toi puis reviens ! » Cette compréhension me terrifiait. Depuis quand soignait-on les humains ? Depuis quand soignait-on les vivants ?

On m'a transporté en carriole jusqu'à notre cabane, à Trum, où ma mère a essayé tout ce qui était possible : les cataplasmes, les feuilles de tamarin, mais imagine-t-on qu'il n'y avait plus rien, ni désinfectant, ni bandages, ni sparadrap, ni antiseptique ? Je vois encore ma mère chercher désespérément du tissu propre, pour protéger ma peau. Tout était sale. Tout était vieux. Elle partait chercher de l'eau avec un seau, à des kilomètres. Puis elle passait des heures à laver et rincer des bandelettes jaunies.

J'étais grabataire : je me déplaçais sur les poings dans notre cabane où il n'y avait presque rien : toute notre vie réduite à des planches, des lianes, à des balluchons tirés depuis Phnom Penh.

A cette époque, mon père a commencé à dire aux uns et autres : « Je ne mange pas ce qui ne ressemble pas à de la nourriture pour êtres humains. » Parlant ainsi, il savait qu'il s'interdisait de manger. Ce n'était pas une politique : c'était sa vie même, la volonté de défendre jusqu'au bout son idée de la dignité et du progrès. Comme s'il avait voulu être le dernier homme.

Mon père avait beaucoup voyagé : en Egypte, en France, aux Etats-Unis ; et en Europe de l'Est. La Yougoslavie l'intéressait tout particulièrement – je me souviens que nous recevions chaque mois des revues de Belgrade. Il avait compris que le nouveau pouvoir serait implacable et que le processus de déshumanisation ne s'arrêterait pas ; que l'idéologie emporterait tout.

Ma mère cherchait du riz partout pour lui : il mangeait une cuillerée, et nous donnait le reste.

Mes petits neveux, ils avaient cinq et sept ans, sont même allés en voler dans le grenier du village – autrement dit dans la maison du chef. Ils ont gratté les planches, et ramassé un peu de riz non décortiqué dans leurs paumes d'enfants. On les a surpris et arrêtés. Ma mère s'est emportée : « Vous n'avez qu'à nous donner du riz, si vous ne voulez pas qu'ils volent ! » Personne n'a su comment réagir à une telle audace. Et elle a ramené mes neveux avec elle.

Peu à peu, mon père a cessé de s'alimenter. Il avait décidé que c'était fini. Il a beaucoup maigri. Il ne marchait presque plus.

Assis dans l'ombre, il somnolait. Parfois il ouvrait des yeux perdus, et me regardait étrangement, avec un peu de pitié je crois. La mort sait.

J'avais peur. La pièce commune n'était pas grande, mais j'arrivais encore à m'éloigner de cet homme déclinant. Je restais sur le seuil de la porte. Ou je serrais ma natte contre le mur, en fermant les yeux. Je ne voulais pas voir cette déchéance. J'étais en colère contre lui et j'avais envie de hurler : « Il y a du riz ! Alors mange ! Prends des forces ! » Mais que faire ? Rien. A qui parler ? Personne.

Ma mère prenait soin de lui mais elle était extrêmement inquiète. Un matin, elle est venue me chercher aux cuisines, où je surveillais la casserole de riz : « Rithy, ton père va partir. Viens. »

Je glisse vers lui. Je m'agenouille sur les planches qui grincent. Allongé sur une natte, mon père n'ouvrait pas les yeux. Ses joues étaient creuses, sa peau grise. Il ne respirait presque plus. Nous avons attendu en silence. Alors j'ai vu sa fin. Oui, j'ai vu son souffle s'arrêter. Les poumons qui se figent. J'ai photographié cet instant dans ma mémoire. C'était impensable. Je ne comprenais pas pourquoi mon père avait agi ainsi, pourquoi il était parti, pourquoi il nous laissait seuls avec les Khmers rouges, seuls dans ce monde terrifiant. Aujourd'hui, je m'en veux de n'avoir pas été vraiment à ses côtés, de n'avoir pas su partager son silence.

Il fallait que l'enterrement ait lieu rapidement, et avant la tombée de la nuit, à cause de la chaleur. Ma mère avait conservé un beau drap blanc : elle l'a déplié sans un mot. J'ai frôlé les broderies, irréelles : c'était l'ancien temps. Tout de suite, le corps a été roulé dans ce linceul, puis dans une feuille de tôle.

Ma mère a refusé d'assister à l'enterrement, qu'elle trouvait indigne de son mari et de ses convictions, indigne de sa famille. Elle refusait le zinc et la terre imbibée d'eau des rizières. C'est donc ma grande sœur qui a accompagné notre père. La rumeur courait que les corps étaient déterrés, dépouillés. Parfois mangés. Le linceul serait-il volé ? Nous n'avons jamais cherché à savoir.

Cette nuit-là, je suis resté avec ma mère. C'était la saison des pluies. La chaleur semblait monter de la terre comme une eau invisible. Nous étions assis sur une natte, le dos contre une cloison en feuilles de palmier. Lentement, à voix basse, elle m'a conté les funérailles de mon père, telles que j'aurais pu les conter, moi aussi, telles qu'elle les imaginait, telles qu'elles auraient dû être, traditionnelles et respectueuses. « Tu vois, au premier rang, devant le beau cercueil de bois, il y a les représentants des élèves ; des instituteurs ; puis les représentants du ministère, qui marchent en portant des couronnes de fleurs ; la famille suit. Nous sommes tous là, rassemblés. Les frères, les sœurs, les cousins, les tantes. Les neveux. Nous sommes venus de tout le pays. Certains ont marché pendant deux jours. D'autres ont pris le train ou le bus. Nous voici à ses côtés. Silencieux. Aimants. »

Elle savait que mon père était parti dans la dignité. C'est ce qu'il voulait. Elle m'a emporté cette nuit-là dans une légende khmère. Ne manquant aucune étape de la cérémonie. Nous avons invoqué les ancêtres puis nous nous sommes tus.

L'enterrement de mots a duré la nuit entière. Sur ce frêle esquif, le départ de mon père m'a semblé moins pénible. Mais à l'aube, nous étions seuls.

J'ai été étonné car ma mère a très peu pleuré, elle qui avait toujours été auprès de son mari, elle qui avait eu neuf enfants de lui. Quand elle pleurait, c'était en silence. C'était presque invisible. Plus tard, j'ai compris qu'elle ne voulait pas céder. Pleurer c'était céder. Il fallait faire face, montrer aux Khmers rouges que nous étions dignes et droits : que nous tenions comme mon père avait tenu. Que nous étions au-dessus du drame. Que nous étions des hommes.

Enfin ma mère nous a dit : « Il faut manger le riz de votre père. Vous en avez besoin. » Elle n'a rien pris, mais chacun a eu une petite part.

Des années après, je me souviens encore du goût de cette cuillère de riz, étrange, amère : comme si je l'avais volée.

Je crois que ma foi dans le cinéma vient de ce jour-là. Je crois en l'image, même si, bien sûr, elle est mise en scène, interprétée, travaillée. Malgré la dictature, on peut filmer une image juste.

Certaines nuits, je me penche vers la terre. Mes genoux s'enfoncent. J'ouvre mes paumes d'enfant. J'aspire l'eau brune entre mes lèvres, elle sent la vieille paille trempée. Vous qui croyez en un monde meilleur, un monde sans classes, sans monnaie, un monde radieux qui veut le bien de tous, avez-vous senti la rizière rouler dans votre gorge ? Connaissez-vous le goût des flaques où ont dormi les anguilles ? Je m'éveille en sursaut.

Duch classe ses dossiers. Il aligne les chemises et les feuilles, en les tassant sur la table

avec des gestes un peu saccadés, puis il se lève :
« Je vais réfléchir aux crimes commis sur mon
peuple. Et à ce qui me fait souffrir le plus. »

Sans riz, sans eau, sans force, comment résister ? Sans amis, sans frères et sœurs de combat,
comment fuir ? Comment rester un homme ?
Il fallait survivre. C'était notre premier devoir.
Notre premier combat. Se révolter, c'était
d'abord vivre. Ou plutôt : rester vivant.

Après la mort de sa femme, un père élève
seul sa fille de cinq ans. En labourant, un
matin tôt, il trouve deux escargots dans la terre
grasse. Il les montre fièrement à sa fille, restée
sur le talus. En pleine famine, c'est un trésor.
A l'instant où il glisse les escargots dans sa
poche, des Khmers rouges approchent. C'est
un individualiste. Un ennemi de l'Angkar. Ils
le frappent et l'attachent à un poteau, au bord
de la rizière. Les heures passent. La température devient insoutenable. L'homme gémit. Les
fourmis grimpent sur lui, par centaines, puis par
milliers. Elles envahissent sa bouche, sa gorge,

ses oreilles, ses yeux. L'homme se tord, hurle tant qu'il peut, s'effondre. Alors une paysanne approche, prend la main de la fillette restée là depuis le matin, et lui glisse : « Viens avec moi. » Toutes deux marchent jusqu'au village. C'est cette enfant qui pleure en silence devant ma caméra, des années plus tard.

A écrire ces lignes, je sens la raideur qui gagne ma main, esquive le poignet, file vers le coude et l'épaule. Comme un frôlement d'aiguille.

Proverbe khmer : « La vérité est un poison. »

La « langue de tuerie » : l'expression est utilisée par Duch, dans sa geôle. Je regarde cette photo de S21 où l'on voit une mère triste portant debout un nourrisson. La mère sera torturée. Tous deux vont mourir, mais séparément. Sur une autre photo, un enfant presque nu est allongé par terre, dans une cellule de bois qui fait soixante centimètres de large, au premier étage de S21. Il va mourir aussi.

En général, les enfants des ennemis, appelés

« enfants-ennemis », étaient fracassés contre un tronc d'arbre. Mais on connaît au moins un cas d'un bébé jeté par la fenêtre du troisième étage, devant ses deux parents. Le gardien qui témoigne a enterré le corps, à la demande de son chef.

Les Khmers rouges forgent le mot *kamtech*, que je demande à Duch de définir – il l'a écrit des milliers de fois ; et il l'utilise, aujourd'hui encore. Duch est clair : *kamtech*, c'est détruire puis effacer toute trace. *Réduire en poussière.* Le tribunal le traduit par « écraser », ce qui est évidemment très différent... La langue de tuerie est dans ce mot. Qu'il ne reste rien de la vie, et rien de la mort. Que la mort elle-même soit effacée.

C'est le secret qui fonde la terreur durable et sans révolte. Ainsi les vêtements et les biens de Bophana – des « prises de guerre » – sont distribués à tous dès son transfert à S21. Bophana disparaît ; tout disparaît de Bophana. Et cet effacement est une mort insaisissable.

Duch précise : à la mort, on n'avertit pas la famille ; on ne rend pas le cadavre ; on n'explique pas pourquoi. L'Angkar n'a pas à se justifier – puisque l'Angkar est la seule famille.

J'ai écrit au sujet de mon père : « Il connaissait le communisme. » J'assume chacun de ces mots, même si certains pensent que le communisme n'a pas été expérimenté dans sa vérité ; et que l'idée de communisme demeure. Les mots fusent, ondoient. Peut-être alors n'y a-t-il pas d'histoire humaine, ni de réalité, mais des raisonnements, des hypothèses, et la chambre des idées – qui est un ciel.

Tant d'années, tant de pays n'auraient donc pas suffi. Tant de millions de victimes. Chacun prend ses responsabilités : en choisissant certains mots, on choisit son arme. Pourtant, je l'ai écrit : nous n'avons pas fui en 1975. Mon père pensait qu'une fois passé les soubresauts inhérents à toute révolution, il serait utile. Qu'il travaillerait à l'éducation de tous, donc à l'égalité et à la justice.

Mais dès les premiers instants, le régime a agi avec cruauté. La mort était partout. Ce que mon père avait vu en Europe de l'Est – l'absence de liberté, la toute-puissance du groupe, la passion du secret, la misère de chacun, le désir de fuir – se réalisait au Kampuchea démocratique, à une vitesse folle. Et la vitesse du passage vers le communisme parfait a été proportionnellement inverse au nombre de morts.

Duch me glisse un jour : « Le grand bond en avant : c'est une erreur de le voir sous l'angle du développement économique. Le grand bond en avant, c'est la destruction des classes. » Pol Pot ne voulait que deux classes, et très rapidement.

Bien sûr, la comparaison est impossible entre les régimes soviétique, chinois et cambodgien. Mais je vois partout les camps et les prisons, la violence, la paranoïa. Je vois partout la haine des hommes et des idées. Aux intellectuels de l'Ouest qui ont rédigé des odes et des poèmes, des dazibaos, des tracts, des livres ou des articles enthousiastes, et qui aujourd'hui encore, depuis le monde démocratique, aspirent à un communisme nouveau, purifié, lissant dans les salons leur radicalité de velours, je dis : il n'y a qu'un homme.

Je recopie deux phrases. J'essaie d'imaginer, calmement, simplement, ce que signifie chaque mot. Ce sont des phrases humaines. Ce sont des actions menées par des humains. Sur des humains. Mais il n'y a plus d'humanité.

Disséquer une femme vivante.
Prélever tout le sang d'une femme.

Je les recopie encore. Quels cris pousse un humain quand on lui fend le ventre ? Quand on découpe son foie ? Quand on retire ses viscères ? Quels cris pousse un humain quand il comprend qu'on lui prélève tout son sang et qu'il ne se relèvera plus ? Ces expérimentations ont été menées à S21. Duch explique : « La vivisection, c'était pour étudier l'anatomie. Mais je n'étais pas d'accord. » Pourtant elle eut bien lieu.

Qu'on ne me dise pas que je suis un voyeur. Je travaille sur les faits. Les images. Les archives. Je travaille sur l'histoire, même si elle nous incommode. Je vérifie tout. Je traduis chaque mot. J'analyse chaque signe – ce qui est dit ; ce qui est écrit ; ce qui est caché. Si j'ai un doute, je retranche. Et je montre ce qui a été.

Primo Levi craint de ne pas être cru. Ma peur : que mes proches souffrent de ce que je vais raconter. Alors je m'écarte. Je rêve que la parole s'estompe.

Duch : « Certainement je vois, mais mon inconscient m'empêche de voir. »

Louis Althusser, lettre du 12 septembre 1969 à sa femme : « La fin de l'exploitation de l'homme par l'homme, c'est la fin de l'exploitation d'un inconscient par l'autre. »

Vann Nath : « Duch s'est assis sur un fauteuil, et m'a regardé peindre le portrait de Pol Pot. Parfois je le sentais tout près : il scrutait le tableau par-dessus mon épaule. Il me parlait de peintres célèbres, Van Gogh et Picasso. Quand je peignais les cheveux de Pol Pot, j'évitais les mouvements brusques, pour que Duch ne puisse pas constater d'irrespect... Je travaillais la tête doucement, par touches légères. Et pour la surface du visage, il fallait une couleur rose, une peau lisse et fine, aussi belle que celle d'une jeune fille vierge. Alors Duch était content : il acceptait le tableau. »

Dans sa cellule, Duch dessine sans fin des empilements de crânes. Il finit même par m'offrir une de ses esquisses, extraordinairement sombre et confuse : des crânes, toujours, des crânes par centaines ; et au centre, Pol Pot.

A sa demande, je lui apporte une bible. Et, de Paris, une grammaire française et des crayons HB. Il aime dialoguer en français, me récite avec fierté des passages de Balzac ou des poèmes.

Parfois, nous parlons peinture. Il connaît mais n'apprécie pas l'œuvre de Van Gogh. Il semble fasciné par les portraits à l'oreille tranchée. Est-ce la difficulté de se représenter ? De saisir le visage dans son entièreté – si j'ose dire, dans son intégrité ? Est-ce l'impossibilité de montrer *la tête d'un homme* au peuple et à la société ?

Il critique mon ami Nath : « Ce n'est pas un grand peintre : rien n'est ressemblant dans ses tableaux. » Je lui réponds que dans le cas de Nath, il faut analyser la puissance de son travail sur la mémoire. Nath est un peintre *et* un rescapé – et un rescapé *parce qu'il* était peintre. On ne peut comprendre son travail que dans cette perspective. Or Duch me parle esthétique et technique picturale, semblant oublier que Nath a peint pendant un an des portraits de Pol Pot, au cœur même de S21 – ne travaillant qu'à partir de photographies et de films de propagande. Duch conclut bizarrement : « Ne répétez pas à Nath ce que je vous ai confié. Je dis ça comme ça, hein... »

Picasso lui déplaît – les « têtes de taureaux » en particulier. Est-ce l'affirmation du désir et de la puissance qui le gêne ? Est-ce le peintre dans sa liberté ? Je crois que le seul artiste qu'il admire sincèrement et durablement est Léonard de Vinci. Il évoque la Joconde et m'explique qu'elle ressemble à une Khmère : il murmure : « Il y a quelque chose de cambodgien dans ce portrait. » Je m'interroge : Voit-il en elle une héritière du royaume d'Angkor ? Est-ce sa beauté paisible qui le touche ? La pureté de ses vêtements, de ses mains, de sa gorge ? Ou est-ce l'œuvre de la Renaissance, équilibrée, osons : mathématique ?

Je livre ici une hypothèse : Duch est fasciné par ce regard qui nous fixe et flotte pourtant, par ce regard impossible à capter. Comme s'il n'y avait qu'une enveloppe de chair. Comme s'il n'y avait pas d'être.

J'ai marché pieds nus pendant quatre ans. Il me semble ne jamais avoir perdu le cal brun et rêche. Ou bien ma peau a retrouvé son aspect humain ; et c'est mon cœur qui s'est endurci.

Les premières semaines, nous ne nous sommes pas inquiétés des disparitions. Nous ne savions rien du pays, de nos familles, de nos amis, de nos voisins : de nous-mêmes. Soudain, l'un ou l'autre n'était plus là, et c'est comme s'il n'y avait jamais été. Effacement. Tout était fait pour briser les rapports humains. Les déplacements étaient incessants et comme sans logique. Les Khmers rouges se présentaient tard le soir et nous lançaient : « Ordre de l'Angkar : vous devez partir. Immédiatement. » C'était sans appel. Chacun prenait son sac. Parfois nous marchions dans la nuit. Destination inconnue. Nous étions des objets.

Je me répète, mais la répétition est indispensable pour approcher les grands crimes : je doute qu'un tel régime ait jamais existé, où toute vie est à ce point contrôlée. Que dire d'un pays qui devient, en soi, un gigantesque camp de travail ? Comment qualifier ces 1,7 million de morts en quatre ans, et sans moyens d'extermination de masse ? Dictature par la terreur ? Crime contre l'humanité ? Suicide d'une nation ?

Derrière ces crimes, il y a une petite poignée d'intellectuels ; une idéologie puissante ; une organisation sans faille ; une obsession du contrôle, et donc du secret ; un mépris total de l'individu ; un recours absolu à la mort. Oui, il y a un projet humain.

C'est pourquoi les expressions « suicide d'une nation », « autogénocide » ou « politicide » me déplaisent profondément – encore qu'elles arrangent tout le monde. Une nation qui se suicide est un corps unique. Et un corps retranché du corps des nations. Elle est énigmatique, inatteignable. C'est une nation malade. Folle, peut-être. Et le monde reste innocent. Or dans les crimes du Kampuchea démocratique, dans l'intention de ces crimes, il y a bien l'homme, l'homme dans son universalité, l'homme dans son entièreté, l'homme dans son histoire et dans sa politique. Nul ne peut considérer ces crimes comme un particularisme géographique ou comme une bizarrerie de l'histoire : au contraire, c'est le XXe siècle qui s'accomplit en ce lieu, c'est même tout le XXe siècle.

C'est une formule excessive, bien sûr, mais dans son excès elle livre une vérité : ces crimes ont été formés dans les Lumières.

En même temps, je n'y crois pas. Il n'y a pas que Saint-Just. Et tout prendre au mot est un crime.

Prendre mes affaires, c'était facile : je possédais un habit de rechange, noir bien sûr. Une grande cuillère « US » que ma mère avait échangée deux ou trois jours après l'évacuation de Phnom Penh. C'était un bien précieux : avec une grande cuillère, on prend davantage de nourriture dans les plats communs. La lutte commençait là. Enfin, il me restait une chemise blanche que je ne portais jamais ; et un hamac noir, cousu par ma mère dans un drap. C'est tout. Les interdictions étaient innombrables et les fouilles incessantes. Jamais je n'aurais osé cacher quoi que ce soit. Avant 1975, un de mes frères qui étudiait à Paris m'avait envoyé un beau pantalon de velours gris. Ma mère m'avait cousu un petit sac à dos dans ce tissu : j'y glissais ma cuillère et mes vêtements. Les jours difficiles, je frôlais le velours usé, je songeais aux doigts de ma mère, à son visage, à son sourire, à son attention. J'étais un enfant, j'allais ainsi portant le monde.

La mise en commun a eu de bons côtés, les premiers temps – même si l'égalité n'a jamais été réelle. Je me souviens avoir haï un fils de paysan qui passait devant moi en souriant, des poissons autour du cou : j'étais incapable d'en attraper un seul. Puis les bons côtés ont disparu. Il n'y a plus eu aucun partage, aucun échange, aucune parole. C'était chacun pour soi. J'ai vu des enfants mourir, chétifs ou non. Des adultes.

La résistance humaine est mystérieuse : j'ai agi comme un animal. Je me souviens avoir brûlé de grandes forêts, avec d'autres enfants, pour préparer des champs de maïs, et attendu trois jours que la terre cesse de fumer. A l'aube, nous nous sommes avancés pieds nus parmi les braises. Nous avons gratté la cendre et la terre brûlée comme des chiens, avec nos pauvres pattes. Nous avons suivi notre instinct. Ne pas réfléchir. Se battre. Et nous avons trouvé de petits animaux saisis par le feu, des écureuils, des lézards et des escargots, que nous avons dévorés sur place.

Plus tard, j'ai travaillé dans la montagne. Il pleuvait jour et nuit. Les serpents glissaient d'un buisson à l'autre. Nous affrontions les cobras, à coups de bâton. Ils finissaient dans la braise.

Je grelottais dans mon hamac trempé par la pluie. Impossible de bouger. Impossible de dormir. Impossible de parler. J'ai appris à économiser mes forces. A ne pas lutter contre le froid et la fatigue, mais à les accompagner. Je ne pensais plus : j'étais en vie.

Je n'ai retenu que deux plans pour filmer Duch : face à la caméra ; et légèrement de biais. Le dispositif est serré. Austère.

Au tout début, Duch me regarde à peine. Il se détourne, ou fixe le mur opposé. Je lui dis : « Je ne peux pas filmer que votre oreille ! *Il va falloir me regarder !* » Il sursaute. C'est une phrase terrible pour lui, j'en ai le pressentiment. Alors il change de position. Il s'habitue et me parle. Mais ses yeux fuient vers le haut, comme s'il cherchait la lumière ou des idées. Je le filme. Pendant des heures, il parle pour ne rien dire. Puis il s'avance, reconnaît une photo. Se retranche. Hésite. Explique de sa voix douce que le bureau 870 savait tout : le siège du Comité permanent du parti. Donc Pol Pot, Ieng Sary, Nuon Chea, Khieu Samphan. Il précise : « Je ne suis pas paranoïaque comme Pol Pot. » Il réécrit sa résistance passive entre 1971 et 1979, de M13 à S21 : « Comme je ne peux pas protester, je fuis. » Duch esquive. Lâche des bribes de vérité. Je ne cherche jamais à l'acculer. Mais il se coupe, à force. Grâce au cinéma, la vérité advient : le montage contre le mensonge.

Je fais le compte des atrocités commises à S21 qu'il a évoquées pendant nos entretiens. Les « camarades interrogateurs » du « groupe mordant » sont beaucoup plus nets. Leur voix et leur regard sont clairs. Les tortures ne devaient pas mener à la mort, si elles étaient bien conduites, mais à l'aveu. L'unité médicale établissait régulièrement un rapport, bref et froid. De temps en temps, on donnait des soins, que le supplice puisse reprendre. On trouve ainsi des photographies de prisonniers morts sous la torture : certains portent des bandages ou des pansements.

Les tortures ont été codifiées et mises en pratique à M13 : fouetter le prisonnier jusqu'au sang ; l'étouffer dans un sac en plastique ; enfoncer des aiguilles sous les ongles des mains, et donner des coups sur les aiguilles, avec une règle ou un bâton ; électrocuter le prisonnier en plaçant le câble sur les oreilles ou les parties génitales ; lui faire manger des excréments à la cuillère. Et cela a continué à S21.

Il y a enfin les viols, qui officiellement n'existent pas. On connaît plusieurs cas avérés à S21. Qui peut croire que ces dizaines de jeunes interrogateurs, cloîtrés pendant des années dans ce lieu horrible, n'ont jamais eu de rapports sexuels ? Un des interrogateurs, pendant la préparation de mon film, explique qu'il torture une jeune femme : « Je la désirais, alors je frappais fort, de plus en plus fort. » Il répète : « Je frappais, je frappais. » Soudain, il ne dit plus rien.

Je m'interroge. Y a-t-il une gradation dans la torture ? Y a-t-il une stratégie de peur ? Sans doute, mais Duch n'en dit rien. Ne pas voir. Ne pas regarder. Ne pas entendre. Annoter les dossiers dans son bureau : telle est sa position officielle. Je le cite : « Dans tout travail de police, il y a du bon et du mauvais. » La politique comme laissez-passer. L'utilité comme seuil de tolérance.

Sur une page de confession, Duch recommande : « Torture moyennement forte ».

Certains bourreaux sont dénoncés, au cœur même de S21. Sabotage. Trahison. Viol. La politique de l'aveu est sans limites. On les photographie, comme tout prisonnier du centre – mais en les privant de la casquette qu'ils portaient, sur leur photographie de « camarade tortionnaire ». Puis on cache leur visage sous une couverture. La déchéance a commencé.

Duch évoque aussi les expérimentations de médicaments sur des prisonniers. Et le prélèvement du sang de certaines femmes – j'y reviendrai. Duch précise : « Transporter des cadavres est plus facile. »

J'écoute Jacques Vergès, dans le documentaire que lui consacre Barbet Schroeder, *L'avocat de la terreur* : « Il y a certains qui disent que le génocide, c'est un crime qui a été voulu. Moi je dis NON. Y a eu des morts, y a eu la famine, c'était involontaire. Il y a eu par contre une répression condamnable avec la torture, mais ça n'est pas sur des millions d'êtres humains. D'autre part, sur le nombre des morts, on n'a qu'à regarder les charniers qu'on a trouvés, etc., on ne trouve pas le nombre de morts qu'on dit. » Puis : « On a ignoré les bombardements américains et la famine provenant de l'embargo américain et du blocus américain. On a fait un package et on a tout mis sur le dos des Khmers rouges. »

Bien sûr, le Cambodge n'était pas autosuffisant avant la révolution khmère rouge. Bien sûr, le Kampuchea démocratique s'était isolé de lui-même. Mais il n'y avait jamais eu auparavant de famine d'une telle ampleur. Quand celle-ci a éclaté, et duré, pourquoi n'y a-t-il pas eu ouverture des frontières, et importation ? Pourquoi la pêche et la cueillette sont-elles restées interdites aux individus, alors que la faim frappait le pays ? Où la production de riz de notre unité était-elle expédiée ? Pourquoi les cadres khmers rouges n'avaient-ils pas faim ? Le bureau 870 était très

informé. Khieu Samphan et son équipe rece-
vaient des télégrammes très réguliers de toutes
les régions, indiquant les quantités produites.

Jacques Vergès affirme sans ciller qu'il n'y a
pas eu au Kampuchea démocratique de crime
« voulu » ; pas de génocide ; pas de famine
organisée ; et, de surcroît, pas autant de morts
qu'on le prétend. Etait-il présent dans le pays
à l'époque ? A-t-il eu accès à des informations
particulières par son ami de jeunesse Khieu
Samphan, aujourd'hui en procès à Phnom
Penh, et dont il est l'avocat ?

Alors vraiment, « on n'a qu'à regarder les
charniers qu'on a trouvés, on ne trouve pas le
nombre de morts qu'on dit » ? Fixer une image
ne permet pas d'écrire l'histoire. Et selon le
centre d'étude de l'université Yale, plus de
20 000 champs de la mort sont répertoriés sur
l'ensemble du territoire cambodgien.

Pour ma part, je persiste : il y a eu au Kampuchea démocratique un crime de masse *et*
une famine. La privation est le moyen d'extermination le plus simple, le plus efficace ; le
moins coûteux ; et le moins explicite : ni arme,
ni slogan ; ni riz, ni eau. J'ai vu des bœufs
manger des restes humains, os et chair mêlés.

Nous avions faim ; mais tout particulièrement ceux qui devaient disparaître.

Moi : A S21, vos hommes ont-ils parfois été cruels ? Méchants ?

Duch : Non, jamais. Ni méchants ni cruels. Méchanceté et cruauté ne font pas partie de l'idéologie. C'est l'idéologie qui commande. Mes hommes ont pratiqué l'idéologie.

Ainsi le tortionnaire vit dans l'ordre de la doctrine. Il est sans émotion, sans pulsions. Accepter ces termes, c'est préserver l'humanité du bourreau.

Quand l'ancien hôpital psychiatrique Takhmao, annexe de S21, lui fut réclamé par l'Angkar, qui voulait confier le bâtiment au Ministère social – je n'invente pas –, Duch fit ouvrir toutes les fosses et déterrer les ossements des malades et des lépreux massacrés dès 1975. Un par un. Him Huy était présent. L'odeur était insoutenable. La chair putréfiée dans des lambeaux de vêtements. Puis on brûla ces restes, afin que le secret soit préservé.

Duch est un idéologue : les ennemis sont des déchets, à traiter puis à détruire. C'est une tâche pratique, qui pose des problèmes d'hygiène, de mécanique et d'organisation.

Les mains dans les corps putréfiés, dans la chair en lambeaux, les tortionnaires de S21 deviennent des déchets. Ils sont déshumanisés à leur tour. Nul n'échappe à l'obéissance et à la terreur.

18 août 1978. Confession d'Om Chorme, vingt-neuf ans, chef d'une unité mobile de la région 24. Il écrit : « Je suis enchaîné. Je suis moins que les ordures. Mon tortionnaire veut que je salue l'image d'un chien. »

Duch fixe ma caméra : « A S21, il n'y a que moi qui n'ai pas eu de promotion. » Et il rit.

Enfant, ma mère travaillait aux champs, dans le delta du Mékong. Je sais aujourd'hui que je n'en saurai jamais plus. Il ne reste rien d'elle ni de sa famille. Tout a été perdu, effacé ou détruit.

Dès que les Khmers rouges l'ont envoyée dans les rizières, à l'été 1975, ma mère a montré

qu'elle n'avait rien oublié. Vanner le riz. Piler
du grain sans s'épuiser. « Lire le bois » pour le
trancher d'un seul coup de hache. Les Khmers
rouges étaient stupéfaits : une bourgeoise qui
travaille comme une paysanne ! Le nouveau
monde réserve des surprises. Moi-même, j'observais ma mère pendant des heures, d'autant que
mon père n'arrivait pas à grand-chose, de son
côté.

Tout poussait entre ses mains. Elle avait la
main verte. Elle plantait du tabac, même si
c'était interdit : elle le séchait, le hachait, puis
elle l'échangeait contre du riz. Ou contre des
graines de courgettes et de concombres. Elle
nous a nourris et soignés. Je lui dois la vie.

Pendant une des audiences, le juge parle :
Jacques Vergès lui tourne le dos ostensible-
ment et regarde la salle. Personne ne dit rien.
Personne n'ose rien dire. Mais tout le monde
voit : oui, le grand avocat fait son spectacle.
Moquerie. Images de télévision. Provocation,
rupture. Que l'humiliation ne cesse jamais.
Que la mort puis son effacement soient eux
aussi un jeu.

Les slogans khmers rouges sonnaient dur, mais ils étaient d'une beauté simple et imagée. Je me souviens de celui-ci, que nous avons souvent mis en pratique : « Le bien de tout Cambodgien tient dans un ballot. » Il y avait une pensée pour chaque situation – souvent directe et violente ; parfois anodine ; énigmatique :

L'Angkar a des yeux d'ananas ! (L'Angkar voit tout)

Si tu es un libertaire, si tu veux être libre, pourquoi ne pas mourir à ta naissance ?

Seul un cœur sans sentiment ni tolérance peut avoir une position résolue dans la lutte !

Les gens du nouveau peuple n'apportent rien d'autre que leur ventre plein de merde et leur vessie remplie de pisse !

Celui-là a la maladie de l'ancienne société, il faut le soigner avec le médicament Lénine !

Qui proteste est un ennemi, qui s'oppose est un cadavre !

Le chantier est un champ de bataille !

Sois maître de l'eau ! Maître de la terre !

Le système des digues dans les rizières transforme votre perception des choses !

L'élimination

Il faut détruire l'ennemi visible et aussi celui qui est invisible : l'ennemi dans sa pensée !

Dans le marxisme khmer rouge, tout passe par la langue. Tout converge vers le slogan. C'est un rêve d'embrigadement : tenir le monde en une phrase. « La radieuse révolution brille de tout son éclat. » « Vous devez tout rapporter à l'Angkar. » Mais aussi : « Camarade, tu dois te forger toi-même, tu dois te reconstruire toi-même. » La langue ancienne n'avait pas disparu : elle s'était coulée dans une langue froide, une langue totalitaire : une réponse à l'absence de question.

Nos chants évoquaient le combat, la souffrance, les ennemis, le sang versé. Dans les spectacles révolutionnaires qui ont été filmés à l'époque, et que je regarde, songeur, à mon bureau de Phnom Penh, tout est mécanique, saccadé, sans souplesse. Lever le poing révolutionnaire ; ouvrir la main vers le ciel, plein d'espoir ; ou bien lancer son poing vers le bas, d'un geste tranchant. Il n'y a plus ni muscle, ni os, ni torsion, ni courbe, mais deux ou trois idées. L'être disparaît dans l'édification.

Le poing enclot la force. S'il se ferme, il

affirme, il menace. Il forge le groupe. Il est prêt à marteler, à détruire : *kamtech*. Mais s'il s'ouvre, une colombe va s'y poser, y picorer un grain invisible, puis s'envoler : il bâtit la paix.

Les images de propagande de l'Angkar sont révélatrices : Pol Pot marche tranquillement, la main sur son krama, à l'épaule gauche. Pantalon noir. Chemise noire boutonnée. Sandalettes. Il sourit dans le grand soleil. Quand il ne sourit pas, son visage est figé ; silencieux. Il tient un éventail dans sa main gauche, qu'il n'ouvre jamais. Il salue de la main droite, comme s'il ne saluait personne ; peut-être n'y a-t-il personne, d'ailleurs. De temps en temps, une main tirée d'une manche noire s'avance et cherche la sienne. Enfin le Frère Numéro 1 s'arrête, bien campé sur ses jambes, et fixe l'horizon qui nous est invisible. Puissance de la marionnette.

Khieu Samphan, en 2004 : « Comment a-t-on pu assassiner quelqu'un pour le vol d'une pomme de terre ? Ou pour avoir cassé une aiguille à coudre ? »

Je me souviens d'un chant khmer rouge diffusé par les haut-parleurs de chantier : « Vous mangez des racines ; vous souffrez de malaria ; vous dormez sous la pluie ; et pourtant vous vous battez pour la révolution. » Je me souviens encore de la cadence et du ton. Je crois même que je pourrais le fredonner, mais en ai-je envie ? Ou bien je n'ose pas. Vous mangez des racines. Vous dormez sous la pluie. C'était notre vie.

Duch évoque son « travail » à S21 : « Je m'applique. Je m'applique. Je ne transgresse pas la discipline. » Moi : « Vous vous souvenez des barbelés, sur les façades des bâtiments ? » Il prend l'air surpris. Des barbelés ? Non. Il ne voit pas. Or Duch, quand il était angoissé et déprimé, allait rendre visite aux peintres et aux sculpteurs – une ou deux fois par jour, précise-t-il. Il a donc vu les barbelés. On sait même qu'il les a fait poser après le suicide d'une prisonnière. Se tuer est interdit. Se tuer empêche l'aveu ; la justice populaire ; donc l'exécution.

Ses mensonges et ses omissions constituent, à force, une négation du crime. Duch veut avoir dirigé un bureau empli de dossiers, qu'il a traités pendant quatre ans avec rigueur, et dans le sens de la vérité. Une tâche théorique : l'idée qu'un « technicien de la révolution » ait les mains tachées de sang lui est insupportable. J'évoque pour la dixième fois les hurlements, les coups, les décharges électriques, les hommes et les femmes enchaînés, les hauts murs, les convois qui partent dans la nuit, tous phares éteints. Duch me répond : « Vous avez remarqué ma démarche, monsieur Rithy... Vous savez que je marche la tête baissée. » C'est ainsi qu'il ne voit pas les ongles arrachés, les fers dans le sol, le sang sur le carrelage : et partout les corps.

La nuit je ne dors pas. Je m'éveille en sursaut. Alors je lis. Je fume à la fenêtre. Je pense à mes films. A cette phrase de Duch : « je marche la tête baissée ». J'effleure la photo de mon père, raide, en costume de lin clair. J'effleure sa chemise, ses boutons de manchettes. Sa joue parcheminée. Des visages me reviennent. Bophana. Ma mère. Ou des visages sans nom, photographiés pour les registres. J'essaie d'esquiver la douleur. Je ne veux pas tomber. Alors j'attends que le jour vienne et je

surveille ma montre. Enfin ça y est, presque,
matin de Paris ou de Phnom Penh, les vivants
s'apostrophent, enfourchent leurs vélos, traînent leurs cartables en riant, se font des signes,
certains se saluent, la ville se gorge de bitume
et de pain tiède, de parfums, de fleurs, de gaz
d'échappement : je peux dormir enfin.

Quand l'odeur de ma blessure au pied devient
insoutenable, je suis envoyé à l'hôpital de
région. J'attends une heure au bord de la route
nationale, puis un camion s'arrête : on me hisse
à l'arrière. En trois heures, nous ne croisons
aucun véhicule. Ici ou là, des bœufs. Des paysans en noir, au milieu des rizières. Des cabanes.
Des fossés. Nous traversons la ville de Battambang, totalement vidée elle aussi, comme
Phnom Penh. Nous passons la nuit dans un
dépôt à l'abandon. Le lendemain, nous nous
arrêtons dans une pagode reconvertie en hôpital. C'est là que j'ai mes premières visions de
l'enfer.

Les infirmières khmères rouges m'installent
d'abord sur une sorte de terrasse extérieure,
tant je pue. Je pisse et je chie dans un pot,

devant tout le monde. Je m'essuie devant tout le monde. Je suis un animal. Les infirmières m'approchent à peine et se plaignent de mon odeur. Pour les soins, elles se trouvent des masques. Elles retirent mon bandage en arrachant la peau. Il y a du sang séché, du pus. Je pleure, humilié par leurs grimaces de dégoût.

Puis on me transfère dans l'ancien bâtiment central de la pagode, le vihear : on venait autrefois y prier les bouddhas. Je comprends que c'est le pavillon des mourants, où flotte une odeur de fer et de corps éventrés. Des tuberculeux crachent du sang. J'essaie de me protéger le visage avec mon krama. Tous meurent les uns après les autres. Je me découvre un voisin de mon âge dont la blessure ressemble à la mienne : il a reçu un coup tranchant au genou. Allongé comme moi sur le carrelage, il gémit. Son bandage se détend sans cesse. Les mouches tournent autour de lui et il peine à les chasser. Il est moins combatif que moi. Il crie. Il se tord et délire. Très vite je ne supporte plus ce double, dont la plaie empire chaque jour, noircit, devient hideuse et tiède.

J'ai l'impression d'avoir sous les yeux le déroulé de ce qui m'attend. Je m'impose de ne

pas somnoler dans la journée, car je comprends que le sommeil est un renoncement. Je
suis sur le qui-vive. Je m'oblige à me tenir droit
sur ma couche. Je m'installe dehors le plus souvent possible, en me déplaçant sur les mains,
comme les culs-de-jatte. Je me relève la nuit
pour resserrer mon bandage. Je me bats pour
me rendre aux douches, une fois par semaine
– aidé par un médecin khmer rouge bien-
veillant. Le seau d'eau froide sur ma blessure
me fait hurler, mais c'est une telle joie d'échapper aux bandages et au sang. J'en profite pour
laver mon unique tenue noire.

Moi : Qu'est-ce que le devoir ?
Duch : C'est un ordre donné par un homme
à un autre.
Pol Pot a donné sa réponse : « Personne ne
peut faire son devoir sans être loyal à la révolution, puisque c'est le devoir le plus sublime. »

Il n'y a donc pas de conscience : pas d'inté-
riorité. Duch ne connaît que la relation à l'autre :
et celle-ci passe par l'autorité, la soumission et

les cris. Je lui demande la différence entre
« devoir » et « mission » ; ou encore ce qu'est une
« obligation morale ». Il hésite. En fait il ne comprend pas ma question. Quand on ne croit pas
à la liberté et à la conscience, quelle différence
peut-on faire entre « devoir » et « ordre », entre
« devoir » et « mission » ? Aucune, en effet. Pour
les Khmers rouges, il n'y a pas de loi politique.
Il n'y a pas de loi morale. Il n'y a plus de mots.

Je comprends à cette époque combien le
classement par couleur était répandu chez nos
nouveaux maîtres. Est-ce parce que beaucoup
d'entre eux ne savaient pas lire ? Ou est-ce
qu'à l'inverse, ils ne voulaient pas reconnaître
qu'ils savaient lire ? Les vitamines étaient ras-
semblées dans des récipients divers, et classées
ainsi : B1, bleu ; B12, vert ; C, jaune, etc. Je
me souviens que les médicaments à injecter
étaient apportés par les infirmières dans des
bouteilles de Coca-Cola ou de Mirinda. La
même seringue plongeait dans la bouteille, une
fois, deux fois, dix fois, puis dans la chair.
C'était très douloureux. La seringue n'était
presque jamais changée.

J'ai été stupéfait de retrouver ces couleurs à S21, dans les grands cahiers d'archives. Duch l'explique lui-même. Il y a un trait de couleur en face du nom de chaque prisonnier : bleu : il n'a pas encore été questionné ; noir : il est à la torture ; rouge : l'Angkar a obtenu ses aveux : « A te garder, on ne gagne rien. A t'éliminer, on ne perd rien. » Cet axiome, indémontrable par définition, n'a qu'une conclusion : la mort.

Il parle fièrement de l'organisation qu'il a mise en place puis améliorée sans relâche. L'Angkar partage ce goût pour la méthode, plus importante que l'humanité même : elle classe, ordonne, ajoute ou retranche. C'est comme si Duch parlait encore ce langage. Comme si ce monde ne l'avait jamais quitté.

Il me semble que les Khmers rouges étaient obsédés par les chiffres et les codes : les centres de torture qu'a dirigés Duch (M13 puis S21) ; les hôpitaux (on cite souvent l'hôpital 98) ; les bataillons (290, 250, 450) ; l'unité d'élite (703) ; le bureau de rééducation (105).

Les responsables ont non seulement des codes, mais plusieurs noms. Son Sen est le numéro 89, mais aussi Khieu. A l'évidence, cette pratique est celle de la clandestinité et de la guérilla face à

Lon Nol et aux Américains. Les dirigeants sont difficiles à repérer (Pol Pot change plusieurs fois de nom, et ne se présente au monde comme le numéro 1 du régime qu'*un an* après la chute de Phnom Penh) ; l'organigramme est opaque voire inexistant. L'Angkar est d'autant plus puissant qu'il se fonde sur un ordre sans cause. Peu de visages ; peu de noms ; ce sont des codes qui régissent le monde nouveau.

Comme je lui soumets les registres de S21, Duch fait souvent les questions et les réponses.

Moi : Qui connaissait tous ces documents ? Qui les recevait, et les annotait ?

Duch : Le bureau 870.

Moi : Qui est le bureau 870 ?

Il articule froidement : « Le siège permanent du Comité central du parti. » Comme s'il fallait nommer, enfin, ceux qui partageaient le secret. Plus tard, je lui ai demandé pourquoi le centre de torture de la capitale s'appelait S21. C'était la fréquence radio du lieu. Mais ce chiffre ne plaisait pas à l'ancien professeur de mathématiques. Il faisait le raisonnement suivant : dans la jungle, il dirigeait M13 ; or $1 + 3 = 4$; 4 sur 10, ce n'est même pas la moyenne ! Il précise qu'à l'époque, il ignorait qu'en Europe, le nombre 13 porte malheur. S21, c'était pire ; car 2 + 1 = 3, soit une « note » encore plus basse. Il était mécontent. Je le cite : « J'aime les chiffres qui donnent 9 quand on les additionne. » Il constatait par ailleurs que tous les bureaux importants avaient un code remarquable (Affaire étrangères : B1) ou trois chiffres : propagande (366), économie des régions (307), transmission (308). Aujourd'hui encore, il s'interroge : « Pourquoi le bureau de sécurité a-t-il moins de chiffres que les autres ? J'étais vexé. »

A M13, Duch dort peu et interroge beaucoup. Il examine les paumes des prisonniers. Quand ceux-ci ont une longue ligne de vie, il est surpris : « C'est pas vrai ! » Je lui demande : « Après, vous allez les exécuter ? » Duch me répond en riant : « Oui ! »

Un ancien prisonnier de M13 me dit que Duch aime les gâteaux aux œufs que lui prépare alors la femme de Mâm Nay.

Après dix ans sous les verrous, et les crimes qu'on connaît, Duch me dit tranquillement :

« Quand j'étudie les mathématiques, personne ne peut me dépasser » mais aussi : « Personne n'a une capacité d'interrogatoire ou d'explication de l'idéologie égale à la mienne ». Je crois que ces deux phrases sont appariées. La conclusion vient plus tard : « Nous sommes des machines. Nous sommes des instruments. »

Un jour, un infirmier nous a apporté fièrement un médicament – un cataplasme noir conçu par les laboratoires « révolutionnaires », je devrais dire « nos » laboratoires. Il a plaqué cette épaisse couche sur nos plaies, un mélange de feuilles et de résine, de je ne sais quoi, à vrai dire. Le genou de mon voisin était dans un tel état de décomposition que le cataplasme est tombé avec les chairs en lambeaux, au bout de quelques heures. Sur ma cheville, qui semblait plus vivace, l'effet a été inverse : le cataplasme était collé. Le lendemain je l'ai retiré, peu à peu, avec les ongles : c'était une glu infernale, un goudron sous lequel la blessure avait empiré.

Comme nous savions que ces médicaments étaient inutiles, nous les échangions... contre du piment. Ce qui prouve, a contrario, que certains croyaient à ces remèdes révolutionnaires ! Depuis, j'ai vu sur les images d'archives les laboratoires khmers rouges, où étaient entreposés des racines, des branchages, des troncs, des feuilles, des matières naturelles et jamais transformées. C'était la défaite de l'Encyclopédie. Plutôt l'ancien monde, élémentaire, terrien, que la connaissance, froide et difficile.

Nous aimions le piment, qui donnait du goût à nos bouillies infectes : mais notre petit trafic a été mis au jour. Le sous-directeur de l'hôpital nous a convoqués sur-le-champ, mon camarade et moi. Cet homme nous effrayait. Il adorait quitter le bloc opératoire les mains tachées de teinture d'iode rouge, et déambuler parmi nous. Ça l'excitait.

Ce soir-là, il nous a fait porter jusqu'à un terrain bordé de cocotiers, derrière la pagode. Nous ne pouvions plus marcher. On nous a jetés à terre. Devant nous, une fosse fraîchement creusée. Nous allions mourir. Disparaître à jamais. Je pleurais. Parfois le sous-directeur éclairait nos visages avec sa torche. Nous sommes restés ainsi à attendre la mort, pendant un temps infini. J'ai supplié cet homme en san-

glotant, j'ai supplié l'Angkar de nous pardonner, et je crois que mes larmes nous ont sauvés.
Il a fini par nous reconduire à nos paillasses,
avec ce seul commentaire : « Dès que ce sera
possible, l'Angkar vous enverra ailleurs ! »

Quelques jours après cet épisode, entre
deux gémissements, mon voisin s'est redressé
et a hurlé de terreur : « Un ver ! Un ver ! » Le
médecin est accouru. Il s'est penché en soupirant : avec une petite pince de métal, il a
extrait de son genou un ver blanc. Une mouche
avait dû pondre dans sa chair. Je n'ai pas
cherché à en savoir plus. Nous savions intui-
tivement que c'était la fin : l'irruption de la
vie animale dans la vie humaine. Il est mort
le lendemain.

Ceux qui avaient un peu d'or pouvaient tout
acheter, et d'abord de véritables médicaments,
qui provenaient de Chine : de la vitamine C,
de la pénicilline. L'or avait conservé sa valeur.
Les cadres khmers rouges le savaient très bien,
qui participaient aux échanges. Une partie du
pays se préparait à « l'après » – comme ma
mère, conservant ses bijoux pour ses enfants –

et faisait un pari sur l'avenir. Les régimes passent, l'or reste. Magie du vieux métal. Petite religion. Ou épargne de précaution. Quant à l'idéologie, je crois que tout le monde l'avait oubliée. Nous l'avions jetée, avec l'homme.

Le rire de Duch. On m'en avait souvent parlé. Un survivant de M13, que j'ai filmé trois fois avant sa mort, en gardait un souvenir indélébile. Il l'avait même imité. J'y croyais à peine : c'était trop beau, trop facile, l'irruption du rire dans le crime de masse.

Duch rit « à gorge déployée », je ne vois pas d'autres mots. La première fois, je sursaute. Il se reprend. Comment ? Il a torturé ; formé à la torture ; endoctriné ; organisé l'extermination ; il a disparu pendant des années ; a enseigné en Chine ; a changé d'identité ; a travaillé pour une association humanitaire évangélique et s'est converti ; a finalement été reconnu, arrêté ; après dix années de prison préventive, il va être jugé par un tribunal pénal, et… il rit encore ? Oui, ce diable rit de ce qu'il appelle les « mensonges » des autres – les interrogateurs et gardiens qui, eux, reconnaissent la torture.

Il rit comme un enfant. Non, vraiment, il n'a pas entendu qu'on électrocutait un homme sanglé à un lit de métal. Il travaillait. Il a passé quatre ans dans un monde tapissé de dossiers.

Je voudrais ne plus savoir. M'arracher à cette époque, quitter doucement l'enfance. Je voudrais ne plus entendre le rire de Duch. Pourtant je l'écoute. Je le guette. Je l'approche. Je lis beaucoup : *Au fond des ténèbres*, de Gitta Sereny, sur Franz Stangl, qui commanda le camp de Treblinka. *Dans le nu de la vie* et *Une saison de machettes*, de Jean Hatzfeld, sur le Rwanda, où je lis cette parole : « Les tueries nous ont dépassés. Le pardon nous dépasse pareillement. On n'a jamais parlé convenablement des tueries à l'époque des marais ; je ne sais pas si on peut parler convenablement de pardon maintenant que tout est bel et bien terminé. » J'étudie *Pour Marx* d'Althusser. Des textes de Balibar sur Marx et le matérialisme historique. *Les origines du totalitarisme* et *Eichmann à Jérusalem*, de Hannah Arendt. Les *Etudes sur la personnalité autoritaire*, d'Adorno. *L'espèce humaine*, de Robert Antelme. Les trois tomes d'*Auschwitz et après*, de Charlotte Delbo. Je ne regarde presque pas de films. Je respire avec René Char et Prévert.

Je lis des travaux de recherche sur Duch. Je connais le prénom et le nom qu'on lui donne à la naissance ; puis ceux qu'un mage lui attribue à trois mois, pour conjurer la maladie et le mauvais sort ; celui qu'il se choisit enfin, à quinze ans. Je sais qu'enfant, Duch a souffert de la dureté de ses professeurs français. Je sais qu'à vingt ans, on lui a volé une bicyclette et qu'il en est très blessé. Je sais qu'il a été fou d'amour pour Kim Heng, qu'il appelle tendrement « ma fleur de frangipanier ». Elle choisit d'étudier la littérature ; lui, les mathématiques. Il l'implore de choisir la même discipline que lui. « A nous deux, avec nos salaires de professeurs, on aurait vécu plus que correctement. De quoi être dans la moyenne de l'existence. » Mais ces rêves ne portent pas. Et Kim Heng refuse. Amour perdu. Sans la nommer, Duch dit l'aimer encore. Sa gorge est sèche, il boit un grand verre d'eau et continue : « La vie est étrange. Je suis devenu khmer rouge mais j'aurais pu être dans le clan de Lon Nol. Alors j'aurais été exécuté par les Khmers rouges. » Rêveur, Duch réécrit sa vie.

Rapidement, ses amis sont emprisonnés par

la police secrète. Puis il demande à Son Sen, son « maître », l'autorisation d'épouser Rom, une paysanne solide, « pour des raisons de classe ». J'en sais beaucoup. Je voudrais comprendre. Expliquer. Je suis un innocent.

Slogan khmer rouge : « Il ne faut pas avoir de sentiments personnels. »

Duch : « Si on me force à dire la non-vérité, ça je refuse. Je fais une dernière déclaration, pour la dernière fois et publiquement : je n'ai jamais torturé. »

Pendant ces quatre années, je n'ai pas rêvé. Ou bien mes rêves étaient enfouis profondément. J'ai le souvenir d'une peur continue. Les émotions, les impressions, les sentiments étaient interdits et ne pouvaient être exprimés. Je sais que c'est difficile à imaginer, mais c'est ainsi. Dans la langue nouvelle, on ne dit plus « mariage d'amour », mais : « organiser une famille pour les combattants et les cadres ». On ne dit plus

« mari » ou « femme », mais « famille ». Duch :
« 1 + 1 doit être égal à 2, et non pas 1 + 1 égale 1.
Ou pire : 1 + 1 égale 0. » L'amour fusionnel
n'existe pas. L'Angkar forge les couples à sa
convenance, une telle décision ne pouvant être
laissée aux individus : « La beauté est un obstacle à la volonté de combattre. » Duch me
dit : « Ma théorie était pire. La beauté est un
instrument sexuel. »

Les rêves me sont revenus dans les camps de
réfugiés, après avoir passé la frontière thaïlandaise. Un matin, je me réveille, surpris : j'ai rêvé.
J'ai quinze ans.

Le sous-directeur de l'hôpital de Battambang
opérait la nuit, tant la chaleur était éprouvante.
Il n'y avait pas de climatisation, bien sûr, dans
cette salle carrelée de blanc. On mettait le
groupe électrogène en marche. Les néons gré-
sillaient. Anesthésie locale. Opération.

Quand je suis arrivé dans cet hôpital avec
ma blessure au pied, il y avait encore un chirurgien sur place, un véritable chirurgien, un
« nouveau peuple », qui fut exécuté par la suite.
Il devait former deux cadres khmers rouges à

son art. En accéléré. Les deux cadres se disaient
médecins, mais ils ne l'étaient pas, bien sûr.
Toujours la même idée que la pratique est tout
– empruntée au *Petit livre rouge* : « Il n'y a plus
de diplômes. Il n'y a que des diplômes pratiques. » Nuon Chea : « La vérité viendra de la
pratique. » Quand le peuple est libre, il s'éduque
sans difficulté. C'est l'impérialisme qui met des
barrières à la connaissance.

Ma grande sœur se trouvait dans ce même
hôpital. Elle connaissait bien le vocabulaire médi-
cal, puisque son mari avait été chirurgien. A la
demande d'un des deux apprentis médecins,
elle traduisait en secret un manuel de chirurgie
français, où il y avait des croquis détaillés et
des explications. La nuit, le camarade venait
chercher ses feuillets et lui apporter de la nourriture. Mais l'autre apprenti médecin n'était
pas d'accord. « Nous ne sommes pas les valets
de l'impérialisme ! Nous pouvons très bien lutter contre la maladie avec nos seules forces !
N'ayons pas recours aux méthodes de la bour-
geoisie ! » On imagine ces dialogues de pure
idéologie – j'allais écrire « de pure comédie » :
une farce jouée par des morts.

Le second médecin a eu gain de cause, et

ma sœur et moi avons été renvoyés au village. Elle était trop savante – c'est une chance qu'ils ne l'aient pas tuée. Et j'étais pourri. Plus tard, le premier médecin et sa femme ont disparu, emportés par les troupes de Ta Mok.

Je me souviens du retour hébété en camion puis en charrette, sous le ciel métallique, dans la chaleur de l'été. Nous ne parlions pas. Nous avons retrouvé notre cabane. J'allais mourir. Mais ma mère, qui aura eu pour nous des ressources infinies, avait conservé un peu d'or : je ne sais pas comment elle a fait, mais elle a réussi à l'échanger contre un cachet de pénicilline. Un unique cachet. Elle a broyé la pénicilline, qu'elle a saupoudrée doucement, deux fois, sur ma blessure. Très vite je n'ai plus souffert. La cicatrice s'est estompée puis a disparu. En quelques jours, j'étais sauvé. Un vrai miracle. Le miracle de la science : c'est une expression banale pour ceux qui n'ont pas besoin d'y croire.

Je tombais sans cesse. Voilà plus de six mois que je ne marchais plus. Cette durée me revient, soudain, moi qui n'ai retenu, de ces années, aucune date, aucun repère. Mais quand on a treize ans, et qu'on ne pense qu'à survivre, pense-t-on aux jours, aux semaines, aux saisons ? Chaque matin, je faisais avec ma mère le tour de l'enclos, en m'appuyant sur son bras et aux barrières qu'elle avait taillées. Elle m'a appris à marcher pour la deuxième fois. Tous les trois ou quatre tours, elle me donnait un long haricot. Cru, bien sûr ! Que je dévorais. Peu à peu, j'ai repris des forces.

Souvent des détails me reviennent, des images, des paroles. Je suis projeté dans le passé. Les Khmers rouges ne me quittent pas. Au réveil, je sens ma main peigner mes cheveux et arracher une pleine poignée de poux. Ou je suis pris de vertiges et je dois m'allonger. Ce matin n'est pas pour moi.

La famine a empiré. A se demander pourquoi il n'y a pas eu plus de révoltes ou de débordements. L'épuisement physique était général. Le pays, hébété, était tenu d'une main de fer par ceux qui avaient du riz dans leurs assiettes. Ou de l'or entre les mains, chèrement caché, chèrement échangé. Impossible de se déplacer, de s'exprimer, d'agir, sans être écouté, questionné, contrôlé. Sans doute est-ce cela, un révolutionnaire : un homme qui a du riz dans son assiette ; et qui cherche un ennemi dans le regard de l'autre.

Une de mes sœurs, la plus brillante de nous tous, a eu seize ans. Son visage a enflé, puis ses pieds, ses jambes, ses mains. Elle était à la fois maigre et bouffie. Comme emplie d'eau. A un certain degré de faim, de misère, de tristesse, on ne sait plus de quoi on meurt. Elle a été envoyée à son tour à l'hôpital de Mong, accompagnée par ma sœur aînée, qui cherchait toujours à fuir le village et à retrouver son mari.

Dans la cabane restaient donc ma mère, une autre de mes sœurs et mes neveux : une fille et un garçon. Je me souviens de leurs visages souriants, de leurs corps frêles. Leurs parents étudiaient en France. Ma nièce avait cinq ans, et elle volait pour manger. Elle disparaissait de la cabane, sans bruit. Une nuit, le chef de notre groupe, un « ancien peuple », l'a ramenée durement, parce qu'elle avait volé du maïs dans son champ. On a laissé l'épi à ma nièce, mais ma mère lui a interdit de le manger.

Voir mes neveux dépérir de jour en jour

m'était insupportable. Je suis allé voir ma mère d'un ton assuré : « Cette nuit, papa m'a parlé en rêve. Il te demandait d'échanger de l'or contre du riz. Pour les petits. Nous devons obéir. » C'était faux, bien sûr. Ma mère m'a souri et m'a glissé : « Un jour, ces gens-là vont tomber. Il faudra tout reconstruire. Cet or sera pour vous, ces bracelets, ces bijoux, ils vous aideront à tout recommencer. » J'ai insisté : « Il faut donner aux enfants. » Elle a refusé.

Leur santé s'est dégradée. Je me souviens de ma nièce qui croquait du sel, la nuit – dieu sait comment elle en avait trouvé. La petite appelait ses parents. Sa mâchoire grinçait affreusement, toujours serrée. Ma mère essayait de glisser une cuillère entre ses dents. Je n'oublierai jamais les derniers jours de ces deux êtres qui ne réclamaient pas un monde meilleur, mais une ration de riz blanc. Ils ne pouvaient plus se lever. Ils étaient maigres et flottaient dans les vêtements cousus par ma mère. Seuls leurs ventres étaient énormes. Je voyais leurs petits os qui pointaient, menaçants. Puis nous avons compris que c'était la fin, et quelque chose en eux a compris aussi : ils ont cessé de gémir. Ils se sont tus. Leurs grands yeux cernés flottaient, incapables de fixer un regard, un objet, une pensée. Ils étaient ailleurs.

Une nuit, j'ai senti que ça n'allait pas. La respiration de ma nièce a ralenti. Le rythme s'est heurté. Je serrais les poings. Je voulais être là, ne pas être là, tenir sa main, ne plus entendre. Ne plus voir. Je me souviens que son torse maigre, comme une toile de peau transparente, a soudain cessé de frémir. Ma nièce a eu un petit hoquet surpris. Elle était morte.

Les Khmers rouges veulent façonner les corps, les mots, la société, le paysage. Les variétés de riz de mon enfance ont disparu en quelques mois – les « fleurs de jasmin », les « fleurs de gingembre », ou les « jeunes filles blanches ». Il nous est resté un riz unique, blanc, sans nom. Puis il nous est resté la faim.

Dans cette société parfaitement totalitaire, le chiffre emporte tout. Mètres cubes d'eau, tonnes de terre, tonnes de riz à l'hectare, kilos d'engrais par individu : tout est jaugé. L'écart est une trahison. Tout commence par le chiffre et rien ne vaut que par lui. C'est une passion rassurante.

En visionnant des films d'archives khmères rouges, j'ai été surpris de découvrir une image oubliée au montage, ou rajoutée par la suite. Entre deux visions idéales et souriantes, un enfant fixe la caméra. Il est nu, les jambes écartées, des petits bâtons secs font les bras et les mains, la caméra descend, on voit le bas du ventre, des lèvres démesurées et lisses, comme chez les nourrissons : c'est donc une fillette, ce corps décharné, cadavérique ; et ses grands yeux appellent au secours.

Une semaine plus tard, mon neveu est mort à son tour. Ces deux disparitions ont été un coup terrible pour ma mère, qui a laissé ma sœur aînée les enterrer seule. Elle avait les jambes coupées – au sens propre du terme. Elle ne pouvait plus marcher. Je crois que c'était trop pour elle. Ma mère que j'avais connue si forte renonçait. Après combien de disparitions et de morts dans la famille ? L'Angkar a décidé de l'envoyer, à son tour, à l'hôpital voisin. Elle y rejoignait mes deux sœurs, dont la plus jeune – on nous avait prévenus : pour elle, c'est bientôt la fin.

Ce matin-là, j'ai croisé ma mère que deux hommes portaient vers la charrette à bœufs. Le chef de groupe, que j'aimais bien, était pressé et il m'a lancé : « On va à l'hôpital de Mong ! » Je marchais encore difficilement. Je n'ai pas pu m'approcher. Je n'ai pas pu parler à ma mère, lui souhaiter bon courage. Je n'ai pas pu la remercier de ce qu'elle avait fait pour moi : pour mon pied, pour tout, pour la vie. Elle m'a salué de loin, les bras autour de ses deux porteurs, et elle m'a lancé ces phrases qui auraient été ironiques dans toute autre circonstance : « Il faut marcher dans la vie, Rithy. Quoi qu'il arrive, tu dois marcher. » Ce n'était pas un conseil. C'était un ordre. J'avais la gorge serrée. J'ai esquissé un salut, doux et lointain. Je ne l'ai plus jamais revue.

La suite m'a été racontée par ma sœur aînée, je ne connais pas d'autre témoin. Quand ma mère est arrivée à l'hôpital, sa fille de seize ans venait de mourir. Elle était encore sur sa planche de bois. Le corps tiède. Paisible. Les poux dévalaient du crâne vers les épaules et les bras, ils cherchaient un autre humain au sang chaud. Ma mère s'est approchée, elle s'est assise auprès de son enfant chérie, brillante, tellement aimée. Elle n'a pas dit un mot. D'ailleurs, elle n'a plus rien dit à partir de cette heure. Mais elle a eu ce geste lointain, magnifique dans sa simplicité, un geste des campagnes de son enfance. Elle a épouillé sa fille morte.

On a retrouvé un coupe-ongles dans son poing serré. Ma sœur redoutait que l'Angkar ne la marie à un combattant mutilé ou défiguré, comme certaines jeunes filles de son unité. Elle gardait cette lame dérisoire pour se cisailler les veines. Et c'est la maladie qui a gagné. Je sais que son corps a été enseveli le jour même dans la fosse commune où j'ai travaillé, plus tard.

Ma mère s'est allongée sur la planche de bois où sa fille était morte, et elle a attendu à son tour.

J'ai écouté son conseil : j'ai marché. J'ai repris le travail – avais-je le choix ? Je boitais, je tombais sans cesse, dans les rizières, dans les canaux ou sur les digues. Je marchais, je tombais. Je me relevais et le ciel tournait encore. Impossible de m'arrêter. Impossible de boire. Impossible de vivre. Cette trilogie ne m'a plus quitté. Je manquais de force mais ces mots cognaient à mon oreille : « Tu dois marcher. »

Un jour, avec une moustiquaire en nylon, un camarade et moi avons réussi à prendre un poisson. Je me vante : c'est lui qui a pris le poisson. Il m'a donné la queue, et a gardé la tête, plus riche, plus nourrissante. Normal. J'ai fumé cette pauvre queue à grosses écailles pendant deux jours. Enfin j'ai eu l'autorisation de rendre visite à ma mère. J'ai retrouvé la même charrette porte-malheur, ma bouillie cuite dans un petit sac. On a roulé sous le soleil.

A l'hôpital, j'ai demandé à voir ma sœur aînée. On m'a montré une femme maigre, livide, qui s'approchait, une gamelle à la main. C'était elle.

— Où est maman ?

— Elle est morte.

— Mais... Où est-elle ?

— Elle est enterrée, derrière le bâtiment... Tu veux manger ?

Je me suis figé dans la colère et la tristesse. Nous étions privés de mots, et le cœur était parti avec. Je tenais mon poisson cuit, qui sentait si fort maintenant. C'était ridicule. Tout le chagrin semblait happé par cette pauvre bête, que j'ai laissée à ma sœur.

J'en voulais à tous. Le corps de ma mère

avait été emporté. Si un vivant ne vaut rien, que vaut un corps mort ? Par la suite, j'ai enterré des centaines de cadavres, dans ce même hôpital, et j'ai toujours pensé à ma sœur et à ma mère. Je me suis dit que j'aurais pu les porter, comme les jeunes filles khmères rouges qui s'occupaient des femmes mortes. Je me suis imaginé, ouvrant les bras, me cabrant, les serrant contre mon cœur, leur donnant un tardif instant de paix, d'humanité, jusqu'à la fosse qui éreinte et efface.

Au retour, quelqu'un m'a appelé de mon prénom d'humain. Rithy ! Je me suis retourné instinctivement – comme quoi la bête sociale ne meurt pas si vite : une femme courait après la charrette. C'était la fille de mon oncle, réalisateur de cinéma. Elle a eu le temps de crier « Ils sont tous morts ! », puis ses paroles se sont perdues dans le soleil.

De retour dans la cabane, j'ai retrouvé ma grande sœur, à qui j'ai raconté mon voyage parmi les morts. Combien étaient partis, en quelques semaines ? Tacitement, nous avons décidé de nous séparer. Que chacun fasse son chemin. Très vite, j'ai perdu sa trace.

Duch : Je suis jour et nuit avec la mort.

Je lui réponds : Moi aussi. Mais nous ne sommes pas du même côté.

Je lis les témoignages de survivants du régime khmer rouge. Il y en a eu un grand nombre, dès 1979. Ils m'impressionnent par leur précision : on connaît les lieux, les dates, les noms des uns, des autres. Comme si le narrateur tenait dans sa main les fils et les causes.

Je n'ai que des traces. Je suis dans la douleur. C'est pourquoi j'aime les courts textes de Charlotte Delbo. Il m'a toujours semblé que ce régime, affirmant fonder une société égalitaire, ordonnée, profondément juste et libre, déchirant pour cela l'ancienne société, avait entretenu un flou inhumain : chacun peut disparaître à chaque instant, autrement dit : être déplacé ; renommé ; exécuté. Et il ne reste aucune trace. Je crois qu'il y a un nom pour ce régime : la terreur.

Dans son extraordinaire ouvrage *Les chuchoteurs. Vivre et survivre sous Staline*, Orlando Figes cite l'écrivain Mikhaïl Prichvine, qui notait, en novembre 1937 : « Notre peuple russe, comme les arbres couverts de neige, est tellement accablé par ses problèmes de survie, et il a tant besoin d'en parler autour de lui, que plus personne n'a la force de résister. *Mais dès que quelqu'un se laisse aller – un autre le surprend – et il disparaît !* (C'est moi qui souligne.) Les gens savent qu'une simple conversation peut leur attirer des ennemis ; et ils s'engagent donc dans une conspiration du silence avec leurs amis. » Plus loin : « "Aujourd'hui, un homme ne parle librement à sa femme que la nuit, la tête sous les couvertures", observa un jour l'écrivain Isaac Babel. » Comme je l'ai expliqué, les Khmers rouges se glissaient sous les maisons de village pour écouter les conversations – ou s'assurer que les couples forgés par l'Angkar n'étaient pas de pure convenance, et avaient des rapports sexuels. Un frère et une sœur de mon village ont été forcés de coucher ensemble, devant témoin : ils faisaient mine d'être mari et femme, pour échapper à un mariage révolutionnaire.

Les soins de ma mère n'avaient pas suffi. Je boitais. La douleur naissait au pied et emplissait d'eau toute ma cheville. Impossible de travailler dans les champs et de couper du bois.

J'ai été renvoyé à l'hôpital de Mong. Je me sentais pataud et fragile, jeté de nouveau sur les planches de bois. J'ai alors découvert que certains enfants étaient beaucoup plus débrouillards que moi. Ils réussissaient à s'échapper, une heure ou deux. Longeaient les fossés des rizières. Trouvaient du cresson sauvage ou des racines. Ils se préparaient ainsi des soupes. D'autres chassaient les petits margouillats qu'ils faisaient cuire dans la cendre pour les manger – ça m'était impossible. L'un d'eux, je me souviens, cherchait même des varans sur les branches.

Je restais des heures entières au soleil, à ne rien faire, à ne rien dire. Sans larmes, sans sourire. La tête entre les jambes. A fixer la terre et le vide. J'étais une loque. A deux heures du matin, je me réveillais, la peau hérissée. Je me levais pour chasser les punaises, qui infestaient le bois de nos lits. J'ai découvert aussi les poux translucides, qui mangent la chair et se cachent dans les plis du corps, à l'aine, sous les bras, derrière le genou. En plein hiver, sous la lune, je me déshabillais et je m'épouillais, en pensant à ma mère devant le corps de sa fille. J'étais triste, j'étais léger. Je parlais à mes poux.

Ma chance a été d'être entre deux âges : j'avais la lâcheté d'un enfant ; et la résistance d'un adulte. J'écris « lâcheté », peut-être faut-il penser « ruse ». Plus jeune ou plus vieux, je serais mort d'épuisement – ou sous les coups des Khmers rouges.

Peu à peu, je me suis endurci. Ma mère m'avait légué son habileté ; sa rouerie. Je me suis fixé des défis absurdes, histoire de vivre. Je me souviens m'être dit : Si je m'en sors, je me rase la tête. Quelques jours après, nous avons connu une véritable épidémie de poux, et j'ai été rasé... Camarade Thy est devenu camarade chauve. Sans nom, on est comme sans visage : facile à oublier. J'ai gagné en courage. Je n'avais plus peur de la mort. Je me disais : La mort est une planque. Quand tu y es, on ne peut pas t'attraper.

J'ai aussi appris à dissimuler. A ne pas être. J'ai construit un personnage. Je suis devenu une sorte d'idiot. De benêt. Au fond de moi, je savais qu'il y avait un petit noyau de vie, coriace, intraitable. Je me suis retranché.

Cette transformation n'a sans doute pas échappé aux médecins khmers rouges, qui n'ont pas voulu me garder à l'hôpital. Je devais rejoindre le grand corps.

Je pense souvent à la Révolution française et à la Terreur. La Terreur est-elle un événement historique séparé ? Un dérapage ? Une conséquence inéluctable ? Je pense à l'atelier de l'histoire. A ce qui est imprévisible. Je pense aux comparaisons impossibles. Je pense à la phrase de Saint-Just, lors du procès du roi Louis, qui n'était pas un enfant, ni un simple citoyen : « Louis doit être détruit, et non jugé. » Détruire, d'abord.

François Furet écrit dans *Penser la Révolution française* que l'effondrement de l'Ancien Régime crée « une vacance globale du pouvoir » où va s'engouffrer « l'idéologie de la démocratie pure ». Que reste-t-il alors de l'aube lumineuse ? Des premiers combats dans la jungle ? Des premiers écrits tendus vers la liberté ? Une grande obscurité. Le ressort de la « démocratie pure », ce n'est ni l'honneur, ni la vertu, ni la pureté : c'est *la destruction*. Aussi la démocratie pure n'existe-t-elle pas : elle est l'absence d'homme. Une formule mathématique appliquée à l'histoire.

A S21, le travail c'est tuer après avoir obtenu des aveux. C'est le travail et la règle. Si tu respectes la règle, tu tues. Si tu ne tues pas, on te tue. C'est la règle. Un camarade tortionnaire précise : « On te donne le pouvoir. Puis on te met la pression. » Ainsi, on peut transformer un être. Ce légalisme paradoxal, ce mélange de pouvoir et de terreur, est dévastateur.

Les bourreaux ont déposé leurs machettes et leurs barres de fer au pied de leur lit. Ils sont libres. Beaucoup ont repris le chemin des champs. Ils dirigent leurs bœufs. Nourrissent les poules ou les cochons. Ils éduquent leurs enfants qui ignorent souvent ce que furent les quatre années de leurs pères. On nomme réconciliation ce qui est un refus. Pour ma part, je n'accepte pas cette chute dans l'oubli.

Plus de trente ans après l'entrée des Khmers rouges dans Phnom Penh, en effet, qui connaît encore le Kampuchea démocratique ? Sa durée. Son orientation. Ses crimes véritables. Ce régime était-il d'inspiration marxiste ? stalinienne ? maoïste ? Etait-il d'abord et avant tout paranoïaque ? Comment l'envisager, après le stalinisme et le nazisme ?

La connaissance historique et scientifique progresse. Des livres importants ont été publiés, traduits, discutés. Mais que penser des propos de Duch ? Que penser de Duch lui-même ? Que penser de ces jeunes paysans devenus des machines à tuer ? Peut-être faudra-t-il attendre trente ans de plus pour que les archives s'ouvrent enfin. Pour que l'événement se clarifie. Qu'il entre pleinement dans l'histoire des hommes. Qu'il échappe à sa gangue d'interprétation, où se mêlent encore idéologie, chiffrage, révolution, paysannerie, empire colonial. Nous connaîtrons enfin le déroulement incontestable de ces années. Nous connaîtrons les fondements idéologiques du régime. Nous connaîtrons les écrits de ses chefs. Nous connaîtrons l'organisation du massacre. Nous serons dans la connaissance. Alors seulement j'accepterai que l'énigme demeure. Ce sera un objet de méditation.

A ma sortie de l'hôpital, j'ai été envoyé près du lac Tonlé Sap. J'y ai coupé du bois et planté du maïs. Puis les grandes pluies ont commencé et notre groupe s'est déplacé, toujours pour couper du bois. Le ciel était une mer menaçante. Nos vêtements étaient trempés, nos peaux rougies. Je ne pensais plus.

Je me souviens qu'après deux jours de marche, nous avons rencontré des militaires. Ils ont aperçu deux singes dans un arbre et ont tiré à l'arme automatique. Le singe blessé tenait par la main le singe mort en soupirant. Le couple tournait, pathétique. Les militaires ont tiré de nouveau. Et le repas est tombé d'un coup sur la terre spongieuse.

Combien de fois, au cours de ces quatre années, ai-je été envoyé ici ou là ? Je ne cherchais plus à connaître les raisons ; et ne pas savoir me libérait.

Sur ordre, tout notre village a ainsi été déplacé, les maisons, le matériel, les troupeaux, les femmes et les hommes, jusqu'au village de Sré Ô, où j'ai retrouvé ma grande sœur. Elle avait d'immenses difficultés avec son fils de trois ans, dont je n'ai rien dit jusqu'ici. Il était né sourd et fragile. Il ne grandissait pas. Mal nourri, mal soigné sous les Khmers rouges, il a perdu la vue progressivement. Il ne voyait plus ses jouets de bois. Il cherchait en vain son assiette, mais nous savions, nous, qu'elle était vide. Il ne comprenait pas ce qui lui arrivait. Il ne pouvait ni voir, ni entendre, ni communiquer. Toute la journée, il restait seul, car nous étions sur les chantiers. Il hurlait de colère et de faim, s'endormait épuisé. Puis s'éveillait de nouveau. Recommençait à hurler. Très affaiblie, ma sœur n'en pouvait plus.

Un jour, un cadre du village m'a appelé. Je l'ai suivi sur le chemin de terre, et sans un mot, il m'a montré mon neveu allongé sur une planche de bois. C'était fini. Je me suis approché de son petit corps raide : son visage m'a semblé ailleurs, presque doux, et je crois que j'ai été soulagé.

Les hommes l'ont emporté dans une toile de jute. Je les suivais, mais à distance. Je ne voulais pas voir mon neveu enseveli dans la terre. Plus tard, j'ai regretté de ne pas l'avoir accompagné.

D'avoir moi-même survécu, m'étais-je fait à l'idée que seuls les forts survivent ? Ma sœur pleurait toutes les nuits. Elle s'en voulait de ne pas avoir été plus patiente avec son fils. Mais nous étions impuissants.

Depuis ce jour, je n'ai pas cessé de penser à mes jeunes neveux qui ont eu faim. Je ne souhaite à personne de connaître ce qu'ils ont connu, le manque absolu, à trois, cinq et sept ans. Et je ne souhaite à personne de voir ce que j'ai vu : un enfant qu'on ne peut plus retenir dans la vie. A personne, pas même au professeur de mathématiques qui aurait bien voulu « la moyenne » ou un code à trois chiffres pour le centre de mort qu'il dirigeait avec application.

Pendant ces quatre années, la boîte de lait concentré Nestlé en fer-blanc nous a servi d'unité de mesure. Malgré la pénurie, et de façon assez énigmatique, on en trouvait dans tout le pays – vides, bien sûr. Aujourd'hui, je sais qu'elle peut contenir 250 grammes de riz. Certaines semaines, au pire moment de la famine, dans un des groupes où j'ai vécu, nous partagions une ration de riz à 15, 18, puis 20 ou 25, pour la journée. Je me souviens de ce chiffre : 27. Soit quelques grammes de riz par jour et par personne – ce qui ne permet pas de tenir tout le jour dans les champs.

Fin 1977. La faim est insupportable, mais un jour, nous recevons du riz blanc en quantité. Nous sommes prévenus : il faut prendre son temps, et manger de petites quantités. Un très jeune garçon, le regard vide, s'écarte du groupe en serrant sa gamelle défoncée de l'armée américaine. Je vois ses mains qui tremblent. Quel âge a-t-il ? Six ans ? Il n'écoute rien ni personne, et disparaît. Deux heures plus tard, il revient, courbé, livide. Son estomac a éclaté. Nous l'allongeons sous un arbre. Il geint et murmure. Je vois son visage dans l'ombre, où ne coule aucune larme. Dans la soirée, il meurt.

Slogan khmer rouge : « A partir de 1980, l'Angkar instituera une société modèle, qui n'existe nulle part au monde, où l'on mangera trois fois par jour, où l'on vivra bien, où la campagne sera comme la ville, où la société ne sera plus divisée en classes sociales ! »

Au début de la mousson, avec d'autres garçons, affamés, révoltés par notre faim, nous commençons à braconner. Nous posons des lacets et prenons ainsi des rats de rizières, énormes et velus. Nous les cuisons. Une nuit, à la pleine lune, nous voyons un rat fantastique disparaître dans un trou. Nous décidons de le débusquer. J'avance ma main vers les cris aigus mais je la retire d'un coup. Est-ce la peur instinctive ? Est-ce d'entendre la voix de ma mère, soudain ? Il me revient qu'elle disait toujours : « Rithy, ne touche pas les rats ! Ils risquent de te mordre, et tu n'auras jamais la main verte. Tu ne pourras plus rien planter de ta vie. » Bien sûr, c'est une croyance des campagnes, mais ce jour-là, je me suis écarté. Je passe mon tour. Un de mes compagnons se précipite : Laisse-moi faire ! Je n'ai pas peur ! Il fouille dans le trou, le bras enfoncé dans le remblai de terre, et le retire brutalement : un cobra vient de le mordre au sang. Il se tient le poignet en gémissant.

Nous rentrons très vite, avec ses deux petits frères, je crois. Le venin commençait déjà à dévorer sa main, puis à gagner tout le corps. Pendant un jour et une nuit, il n'a pas cessé de gémir et de se tordre. Il vomissait du sang. Son corps s'est raidi, et nous n'avons plus eu le droit d'approcher. Il paraît que sa peau a grisé puis noirci en quelques heures. On a fait venir un guérisseur, qui a broyé de petites racines dans une gamelle, mais ça n'a servi à rien. Il est mort le soir.

Tout de suite, pleins de douleur et de haine, nous sommes partis venger notre frère et ami. Nous avons prudemment creusé une galerie à côté du trou principal, et le cobra est apparu : il semblait nous attendre, impassible et luisant. C'était comme une petite tache de métal fichée dans la terre. Nous l'avons tranché à coups de pioche, et nous avons regagné le village sans un mot.

Puis j'ai appris à tuer un serpent à main nue. Au lieu de fuir, je me précipitais : un serpent, c'est un repas qui rampe. Je savais saisir la bête par la queue, et la frapper violemment contre le sol, plusieurs fois de suite. Il ne faut pas penser aux anneaux, ou à l'ondulation imprévisible. Ne pas se laisser impressionner. Pour tuer un cobra, il faut le frapper à la nuque, d'un coup sec et unique. L'hésitation est fatale.

La pêche, la chasse, la cueillette : toutes ces activités individualistes et bourgeoises étaient interdites par les Khmers rouges. Seule était autorisée la pêche collective, contrôlée par l'Angkar, mais contrairement à ce que montraient les images de la propagande, je n'ai jamais vu un seul poisson pêché ainsi, en quatre ans. Nous agissions donc en cachette, jetant sous les cendres la chair froide et dorée.

Nous savions que certaines activités étaient difficiles à surveiller : gardien de bœufs, par exemple. Ceux-ci partaient à trois ou quatre, loin dans les champs, pour la journée. Un gardien de bœufs peut ramasser discrètement des racines ou du manioc sauvage ; chercher des crabes dans les rizières, des petits poissons dans les mares, et les échanger ensuite. Ces activités étaient donc réservées à l'ancien peuple, ou aux Khmers rouges eux-mêmes.

Je ne pensais qu'à survivre. Ainsi j'ai mangé des tubercules noirs, ronds et poilus, des crabes crus, même – tant j'avais faim, tant j'étais affaibli. J'ai sucé des feuilles ou des tiges sucrées. Je ne pensais plus au monde d'avant : Phnom Penh était sans habitants, et pour moi sans rues, sans maisons, sans histoire. Dans mon sommeil, je voyais mes neveux sur le seuil, les lèvres minces, le souffle ténu, les yeux creusés par la faim ; et le petit sourd-muet qui hurle.

Aux premiers jours de pluie, je glisse des escargots dans ma poche : peut-être un cuisinier complaisant me laissera-t-il les glisser dans les braises ? Car on ne mange pas un escargot cru. Je tremble de sentir cette coquille dans ma paume, et bientôt dans ma bouche. Je suis un individualiste, un traître, mais j'ai faim. Je tiens cette pauvre chair, qui me tient.

Duch me dit trois phrases terribles, à trois instants différents de nos entretiens. Je les rapproche :

« J'étais la police du Kampuchea démocratique, qui a eu un siège à l'ONU jusqu'en 1991. »

« Je reconnais que j'étais l'otage du Kampuchea démocratique. »

« Dans ce régime, le problème est le même pour tous : vivre, et non mourir. »

Reprenons chaque phrase :

« J'étais la police du Kampuchea démocratique, qui a eu un siège à l'ONU jusqu'en 1991 » : j'ai incarné l'ordre officiel, légal, dans un Etat reconnu par les autres Etats de la communauté internationale ; j'ai fait mon travail de policier, qui existe dans tous ces Etats. J'étais à un niveau élevé, puisque « j'étais *la* police (...) ».

« Je reconnais que j'étais l'otage du Kampuchea démocratique » : j'ai agi contre ma volonté profonde en travaillant pour cet Etat, qui me privait de liberté et me contraignait à diriger S21 ; j'ai moi aussi été emprisonné ; et j'ai risqué ma vie.

« Dans ce régime, le problème est le même pour tous : vivre, et non mourir » : comme tous les Khmers, j'ai risqué ma vie ; j'ai survécu à ce régime, dont je suis une victime.

De responsable de la « police » à « survivant », il n'y a qu'un pas : Duch reconnaît sa position élevée et influente ; mais il affirme, dans le même temps, se tenir aux côtés des victimes.

Et il reprend : « J'étais terrorisé. » Je réponds : « Mais vous étiez un intellectuel. Vous saviez beaucoup de choses. Vous aviez la faculté de choisir. D'agir autrement. » Ce qui n'est pas le cas d'un tortionnaire arraché à quinze ans aux montagnes du Nord. C'est une défense classique dans les systèmes totalitaires : tous les

bourreaux se disent terrorisés. Peut-être est-ce
en partie fondé. Le tortionnaire peut avoir peur,
mais il a le choix. Le prisonnier n'a que la peur.

Plus tard, Duch me confie : « Dans le passé,
j'ai pensé que j'étais innocent. Maintenant, je
ne pense plus ainsi. J'ai été l'otage du régime
et l'acteur de ce crime. »

Au tribunal, Duch demande à son adjoint et
ami de toujours, Mâm Nay, de se livrer, de dire
la vérité. D'assumer. Il fait une leçon sur le courage et la mémoire. Alors, Mâm Nay fond en
larmes : « J'éprouve beaucoup de regrets, car j'ai
aussi perdu des frères, des parents qui ont souffert sous le régime, ainsi que ma femme et mes
enfants, qui sont aussi morts. Je crois que cela
a été une situation de chaos. Et il ne nous reste
rien d'autre à regretter. Beaucoup de Cambodgiens ont péri sous le régime du Kampuchea
démocratique. Ces regrets sont partagés par
beaucoup et si on parle en termes de religion,
c'est notre karma qui en souffre. Aujourd'hui,
j'essaie de trouver un soulagement dans la foi et

le karma. » Mâm Nay ne se souvient plus de rien : ni de la torture à M13, puis à S21, ni des exécutions, ni même de sa visite à Chœung Ek avec Duch. Tous deux mentent sous serment. Le président du tribunal reprend : « Ces événements ont eu lieu il y a plus de trente ans et il est très difficile de s'en souvenir. Nous sommes des hommes, et notre mémoire est limitée. » A partir de cet échange factice, la vérité ne peut plus advenir.

Un soir, debout sur un talus, j'observe le ciel qui monte des rizières, brun, gris, vert profond bientôt piqué d'étoiles. Je suis seul. Je fredonne une chanson d'enfant : pas le chant d'Ulysse, non, je ne connais pas Dante, je n'ai pas lu *La divine comédie*, je n'ai pas pris la « haute mer ouverte ». Je fredonne de petits bouts rimés appris à l'école, qu'il me semblait avoir oubliés. J'imite aussi mon frère disparu. Je chante dans une langue que je ne comprends pas, où se mêlent des mélodies des Beatles et des Bee Gees. Puis je scande mon histoire sur un air traditionnel. Je pense à mes frères et sœurs. Je vois le visage de mes parents. Je murmure leurs prénoms, vivants et humains. Je pleure. Mes mains tremblent.

Je devine maintenant qu'il y a quelqu'un derrière moi. Je me retourne doucement : une jeune Khmère rouge se tient à un mètre de moi, silencieuse. Il y a des larmes dans ses yeux. Comme tous les enfants du pays, elle connaît cet air plein de douceur et de joie. Je vois son émotion. Son regard se ferme. Tout son corps prend la pose de combat : « Que fais-tu là camarade ? Arrête de chanter ! » Elle m'a écouté sans agir, c'est une faute. Et les émotions n'existent pas. Demain, je ferai mon autocritique.

Je me souviens que ma mère, tous les soirs, répétait doucement « Où es-tu aujourd'hui, où es-tu ? ». La vie est une ritournelle. Elle pensait à mon frère poète et musicien. Elle s'en voulait de l'avoir laissé partir vers la capitale. Adolescent rebelle, il n'avait pas les qualités de soumission qu'exigeaient les Khmers rouges. Mais il semblait si joyeux de retrouver sa guitare !

Chaque année, lors de la fête des morts, les Khmers de tous âges rentrent chez eux : ils prient et apportent des offrandes dans les pagodes. Aujourd'hui la mélancolie me gagne. Je ne dors plus. Je ne suis pas religieux, mais l'idée que les miens soient sans sépulture m'est pénible. Mon frère a dressé un stupa dans une pagode de Phnom Penh, mais je n'y vais pas. Comment dire : les morts ne sont pas chez eux.

Ainsi, après trente ans, les Khmers rouges demeurent victorieux : les morts sont morts, et ils ont été effacés de la surface de la terre. Leur stèle, c'est nous.

Mais il y a une autre stèle : le travail de recherche, de compréhension, d'explication, qui n'est pas une passion triste : il lutte contre l'élimination. Bien sûr, ce travail n'exhume pas les cadavres. Il ne cherche pas la mauvaise terre ou la cendre. Bien sûr ce travail ne nous repose pas. Ne nous adoucit pas. Mais il nous rend l'humanité, l'intelligence, l'histoire. Parfois la noblesse. Il nous fait vivants.

A S21, on a retrouvé un cahier d'écolier, noir, à petits carreaux. Ce sont les notes qu'a prises un « camarade interrogateur », lors des cours que donnait Duch. Les notes sont prises à l'encre noire. La graphie est belle. La langue khmère est impeccable. Une partie des titres est en couleurs. Tout est ordonné. Duch a reconnu : « Ce sont bien mes paroles. » J'appelle ce cahier le « Livre noir de Duch ». J'ai souvent médité ces pages, que j'aimerais un jour traduire et faire connaître. Combien de grands criminels ont laissé un cahier de pratique et d'idéologie ? C'est un témoignage unique et complet. Un texte essentiel sur l'entreprise de déshumanisation du prisonnier ; et d'inhibition du bourreau. A lire ces pages, on comprend qu'il s'agit d'un processus mûrement réfléchi.

Le compte-rendu détaillé du « séminaire » du 30 février 1976, dirigé par Duch, est exceptionnel.

A chaque ligne, on comprend que Duch est le révolutionnaire en mission. La peur n'est pas au programme. Duch ira au terme de sa mission. Sans hésiter. C'est un doctrinaire et un organisateur. Il prolonge un combat commencé à M13, des années auparavant. Non seulement il n'est pas « terrorisé », mais il développe, il transmet, il conseille. Comment dire : il affine l'œuvre. Il cite *L'art de la guerre* de Sun Tzu :

« Connais ton ennemi. Connais-toi toi-même. »
Il explique que la pression sur le prisonnier
doit être continue – *même quand le bourreau
obtient ce qu'il souhaite*. Parole transcrite dans
ce cahier : « Si tu obtiens un aveu, et que tu
ris, et que tu éprouves de la joie, alors méfie-
toi. Ton ennemi a peut-être gagné. »

Duch élabore de longs raisonnements,
simples d'apparence, mais qui ont des implica-
tions terribles. « La politique, c'est la base. Il
faut toujours privilégier le travail politique. Puis
on aborde la torture. Il y a des techniques de
torture. Mais il faut toujours une pression politique. » Autrement dit : il faut politiser la torture, qui, de toute façon, advient dans ces lieux,
comme la mort.

Duch est explicite : « *Puis* on aborde la torture », c'est-à-dire : de toute façon, on torturera.

Duch a des phrases qui attestent que S21
n'est pas un centre de police où l'on prépare
des enquêtes, mais un lieu où l'on *bâtit une
histoire* :

« Il faut préparer les prisonniers à raconter
leur vie de traîtrise. »

« Si le prisonnier meurt, on perd la documentation. »

« Rassembler des informations, les analyser, prendre une décision appropriée. Thèse, anti-thèse, synthèse. »

Prâk Khan, l'interrogateur du groupe « mor-dant », est cité : « La confession doit être comme une histoire. Il faut un début et une fin. Et l'ennemi doit être du KGB, de la CIA ou un agent vietnamien avaleur de notre pays. »

Prâk Khan confirme aussi avoir inventé des confessions. Pour accélérer. Pour aller dormir.

La défense de Duch a plaidé au tribunal qu'il essayait de limiter la torture et préférait l'action psychologique – qu'il nomme « pres-sion politique ». Mais qu'est-ce que la « pression politique », dans un centre où résonnent sans fin les cris des suppliciés ? Qu'est-ce que la « pres-sion politique » quand *tous les prisonniers* finis-sent par être exécutés ? S'agit-il de menaces de représailles contre la famille ou les proches ? Oui. De promesses mensongères de libération ou de modération ? Oui. Dans tous les cas, il s'agit de torture mentale, « puis on aborde la torture ». C'est ce type de raisonnements de Duch qui a fasciné ceux qu'il a rencontrés : l'apparence est politique ; la diction douce ; le regard net. Tout semble réfléchi.

Malheureusement, lors de ses formations, le même intellectuel à l'esprit délié précise : « L'aveu par la psychologie est l'aveu le plus bas. » Malheureusement, il affirme aussi : « On ne peut pas tuer sans directive. » Phrase transcrite plusieurs fois dans le cahier. Et répétée devant ma caméra par les tortionnaires.

Question : qui donne les directives à S21 ?

S. Mœun, un camarade gardien de S21, torture à mort un prisonnier sans obtenir de confession préalable. A son tour, il est torturé puis exécuté. Dans la confession de S. Mœun, à la page 9, Duch précise : « Je suis allé le chercher dans la région 31 avec un groupe d'enfants. » A mon tour je questionne Duch : « Pourquoi dans cette région en particulier ? » Il me répond : « C'est une zone reculée, près de la montagne. »

Je lis *L'art de la guerre*, et ces mots de Shang Yang : « Gouverner, c'est détruire, détruire les parasites, détruire ses propres troupes, détruire l'ennemi. »

Les infirmières khmères rouges ne nous croyaient pas. Pour elles, nous n'étions jamais malades. Nous cherchions à échapper au travail, par nos mensonges. Sans doute manquaient-elles de connaissances et de médicaments. Sans doute se sentaient-elles impuissantes. Ou bien, parce qu'elles venaient des campagnes, nous trouvaient-elles trop sensibles, nous les éternels « nouveau peuple ». Je ne saurai jamais. Si l'un de nous avait la « fièvre du tracteur » (fièvre et forts tremblements), elles l'examinaient et l'envoyaient aux champs. Un de mes camarades est mort ainsi, de n'avoir pas été cru. Elles ne croyaient pas non plus à la « fièvre du lapin », tout aussi impressionnante (fièvre et abattement total) – facile à simuler.

Elles n'avaient à leur disposition que des cachets marron, les célèbres « crottes de lapins », fabriqués par les laboratoires révolutionnaires. Quand j'ai découvert qu'ils étaient compressés avec du miel, j'ai cherché à m'en procurer à tout prix, tant j'avais faim.

Le chef de notre village avait sa maison : s'en approcher n'était pas interdit formellement, mais risqué. D'autant que le grenier du village se trouvait dans cette maison... Nous savions que sa femme, ses enfants, sa sœur, ses cousins y vivaient. Nous savions qu'ils mangeaient tous du riz blanc et dur. De temps en temps, je le voyais marcher au loin, avec le chef de district, qui était la terreur des villageois : il avait des dents en or, deux stylos dans sa poche de chemise, et il chevauchait à cru. Nous ne l'approchions pas, car il avait la réputation d'être cruel et expéditif.

Avec trois autres garçons, dont un petit de cinq ans, nous avons entrepris de critiquer publiquement cette situation. Nous étions un peu grands pour rester en unité d'enfants, mais trop jeunes pour partir en « unité de jeunesse mobile ». Pheng, qui était d'origine chinoise, mal-aimé par principe, donc, a pris un soir la parole : « Dans un véritable régime communiste, sous Mao Tsé Toung, par exemple, tous les citoyens sont égaux en droits et en devoirs. Ce n'est pas le cas ici. Nous ne mangeons pas tous la même chose. Vous n'avez pas le droit de manger du riz dur, et nous du potage. Ce n'est pas conforme aux idéaux de la révolution. Nous sommes des enfants de l'Angkar. Nous sommes communistes, nous aussi. Nous exigeons la même nourriture pour tous. » Il continuait, d'une voix ferme, et moi je l'applaudissais. Nous étions à cran. Epuisés par l'injustice. Terrifiés par la mort, qui était partout : dans la faim, dans la soif, dans les rizières.

Nous avions raison : les responsables ont immédiatement fait leur autocritique. Nous nous sommes couchés, inquiets, mais heureux des changements à venir. Quelle naïveté ! A l'aube, un homme s'est approché, nous a désignés : « Vous trois. L'Angkar vous envoie au front. Prenez vos affaires. » Nous sommes partis immédiatement, à pied, escortés par deux miliciens armés de coupe-coupe. La vérité est une arme dangereuse. Nous avons marché plusieurs heures en silence.

Pheng ne voulait pas que son petit frère reste au village sans lui. Il aurait été confié à un ancien peuple, puisque « absolument tout appartient à l'Angkar ». Mais il a bataillé pour le garder avec lui, et l'a donc porté tout le trajet, dans la chaleur écrasante et la poussière. J'admire son courage. Nous avons fini par arriver au camp : quatre enfants perdus au milieu de dizaines d'hommes. Tout le Kampuchea démocratique était un camp

de travail, mais celui-ci était particulièrement
dur. Il n'y avait ni barrière ni barbelé. On nous
a dit simplement : « Ici, vous êtes loin de tout.
Ne cherchez pas à vous enfuir, car si on vous
rattrape, c'est la mort. »

Question d'un juge à un survivant de S21 :
« Comment faites-vous pour déféquer, les
pieds attachés ? »

Question d'un avocat à un survivant de S21 :
« Aviez-vous des moustiquaires ? »

Dans ces questions, tout est hideux : surtout
l'ignorance. Ce jour-là, je quitte la salle brusquement. Un écouteur cogne sur une table.
Trop c'est trop. Je croise le regard de Duch,
et je sais qu'il n'apprécie pas ce geste. J'écope
d'un avertissement « amical ». On ne se moque
pas de la justice pénale internationale.

Dès le lever du soleil, nous partions creuser,
à quelques centaines de mètres du camp. Chacun devait extraire trois mètres cubes par jour
– adulte ou enfant, il n'y avait pas de différence. Puis le chiffre est passé à cinq mètres

cubes. Nous travaillions dans la poussière, avec des pelles et des pioches, sans aucun matériel de terrassement. Est-ce que nous creusions un lac artificiel ? Sans doute, mais les Khmers rouges ne nous ont jamais rien dit. Aucun canal, aucun tuyau, rien ne semblait mener à ce vaste vide. Et je n'y ai jamais vu d'eau, sauf de grandes flaques après les pluies.

Nous ne parlions pas. Il n'y avait pas d'interdiction formelle, bien sûr : le silence s'imposait. A midi, nous avions droit à une assiette de bouillon. Et l'après-midi, chacun devait fabriquer vingt ou trente kilos d'engrais : nous cherchions des feuilles répertoriées très précisément, qu'il fallait hacher, puis mélanger avec certains types de terre – du limon, dense et riche. Je cherchais aussi de la bouse de vache, ou de la terre de termitières. En vain.

Comment produire autant de kilos d'engrais, chaque jour, dans de telles conditions ? C'était impossible, nous le savions tous, prisonniers et gardiens. Mais il fallait accomplir l'irréalité : travailler, toujours, ne pas s'arrêter, ne pas souffler, ne jamais donner le sentiment qu'on « sabotait le combat » du groupe. C'était un univers trouble, mêlant la terreur et le faux-semblant.

Les coups de bâton pleuvaient sur le dos des adultes, si j'ose dire pour le principe. Nul ne vérifiait notre production d'engrais, qui avait été fixée arbitrairement dans un bureau – ou dans le ciel des idées socialistes.

La peur ne nous quittait jamais. C'était la seule vérité. En cherchant en vain des plantes et de la terre meuble, je pensais à ce slogan : « Si tu ne travailles pas assez, l'Angkar te transformera en engrais des rizières. » On nous le répétait souvent. Aujourd'hui, je pense aux corps de M13, enterrés sous les cocotiers et le manioc.

Le petit ne comptait pas. A cinq ans, il n'aurait pas pu creuser. Il ne faisait rien ; il ne recevait rien. Son frère s'est occupé de lui avec un courage extrême. Il partageait avec lui son unique ration quotidienne. Après des heures à creuser sous le soleil, il le laissait manger avant lui.

Assez vite, nous avons mis nos rations et nos forces en commun, car c'était notre seule chance de survie : le plus costaud creusait ; je portais la terre avec le troisième. Quand le premier était fatigué, nous le remplacions, en alternance.

Parfois, nous trichions un peu. Pas beaucoup. Au coucher du soleil, nous étions épuisés.

Le chef de camp tenait en laisse un berger allemand qui semblait tiré d'un conte. Avec son chapeau noir à large bord, cet homme énigmatique nous effrayait. Il parlait peu, crachait, roulait ses cigarettes. Je l'ai vu mettre un homme à genoux, le frapper avec un rotin après l'avoir prévenu : « Si tu cries, tu auras un autre coup. »

Le soir, il entrait dans les baraquements et lançait : « Maintenant on dort », et tout le monde s'allongeait sans un mot. Beaucoup s'endormaient instantanément. Le silence était absolu jusqu'au lendemain.

Le chef rentrait chez lui à vélo, sans s'inquiéter. Nul ne pensait à s'échapper. Nous étions affamés, dans une zone forestière, sans forces et sans soutien. Comment traverser un pays aussi surveillé, où l'on ne croise jamais d'individu seul ? Il y a eu des cas d'évasion, bien sûr, mais très peu d'évadés ont survécu.

Nous avions perdu nos capacités physiques et morales de penser la liberté.

Contrairement à ce qu'ont cru ou voulu croire nombre d'intellectuels – français, en particulier : ont-ils eu connaissance du slogan pourtant clair : « La bêche est votre stylo, la rizière est votre papier » ? – et contrairement aux images de propagande, je précise que nous n'avions jamais de cours. De treize à dix-sept ans, j'ai assisté à cinq cours d'alphabétisation. Pas un de plus. J'étais heureux. Je pensais : l'alphabet revient ! Nous n'avions ni papier ni crayon. Ni livre, ni journal, ni siège, ni table. Aucun temps libre. Aucun temps de réflexion. Aucune autre leçon que les discours révolutionnaires et les hymnes sanglants.

Parfois nous retournons au chantier après le dernier repas. Les ordres sont formels. Toute la nuit nous creusons. Nous terrassons. Nous remblayons. Y a-t-il urgence ? Nous ne le saurons jamais. Nous rentrons au campement dans la nuit noire, en tâtonnant dans les ronces et dans les rizières. J'apprends à ne pas esquiver, à ne pas sautiller. Au contraire, je marche *contre l'épine*. J'affronte le monde de l'ancien peuple. Mes pieds nus ont durci, gagnés eux aussi par la politique.

Puis les dates n'ont plus eu d'importance pour moi. Ou je m'en suis écarté, après cette année affreuse. Le passé me plongeait dans la mort. Je ne pensais qu'à être vivant le jour d'après. *Ne pas être tué.* Je suis donc resté des mois dans ce camp de travail, la pioche sur l'épaule, les mains creusées d'ampoules, au fond de ce bassin immense et absurde. Puis nous avons été renvoyés au village, sans explication. Je n'y connaissais plus personne ; ma sœur avait disparu. Sa cabane était vide. Il ne restait rien, pas une casserole. Et tous les autres avaient été déplacés.

Pendant ces quatre années, le pays a été entièrement quadrillé. Impossible de se déplacer d'un village à l'autre sans être repéré et questionné. Je me suis présenté au chef de groupe, qui m'a accueilli : j'ai pu installer mon hamac sous sa maison. Il m'a déclaré auprès du chef de village, et ainsi de suite : on savait où j'étais. L'Angkar était ma famille. Je lui devais tout. « Il faut respecter l'intérêt du parti. Il n'y a pas de place pour l'individu », explique Duch aujourd'hui, qui n'échappe pas à la prison des mots.

En théorie, la nourriture, le logement et les soins étaient prévus pour moi. En réalité, l'Angkar était si strict et paranoïaque, que rien ne fonctionnait. Rien. Nous manquions de tout.

Au village je suis tombé malade. Je chiais du sang vingt fois par jour. Il n'y avait plus aucun médicament classique, plus aucun médecin « nouveau peuple ». J'étais au bord du précipice. Pour la première fois, je me laissais partir.

Le chef de groupe m'a dit : « Camarade, tu ne peux pas rester. C'est trop grave. » Et il m'a accompagné à l'hôpital de Mong. Les images de propagande du régime montrent des hommes en blouse blanche, équipés de gants, de masques, d'appareils... et le sourire aux lèvres. C'est un mensonge. Fascinant de voir à quel point ce régime criminel a su donner l'image d'un monde idéal, égalitaire, solidaire, novateur. Or c'est un enfer qui nous a été donné.

Le médecin khmer rouge m'a examiné trente secondes, à la nuit tombée : sans un mot, il m'a désigné le coin des mourants. C'était ma place : des planches de bois bringuebalantes, des lits où gisaient des hommes recroquevillés, puants, pourris, trempés de merde et de sang,

couverts de bandages, de tissus sales, de peaux
arrachées. Ce n'étaient que gémissements et
larmes. Je me suis dit, je m'en souviens très
bien : Cette fois-ci, il y a un problème !

Je me suis assis, terrifié. Un jeune garçon a
surgi, enrobé de linges sales, livide. Il m'a dit :
« Tu ne manges pas ton potage ? » Il avait raison, je n'avais pas faim. J'étais vide et plein.
J'avais mal au ventre en permanence. Je chiais
du sang. Puis rien. Quand on meurt, on ne
mange plus. J'ai répondu : « C'est vrai, je
n'arrive plus à manger. » Lui était convales-
cent. Il avait faim. Je lui ai donné la moitié de
mon potage. Il m'a dit : « Faut pas rester là.
Sinon tu ne sortiras pas vivant. » Et il m'a aidé
à déménager. Il m'a sorti de la mort.

J'ai partagé son lit de bois dans le coin des
vivants. J'ai glissé mon sac à dos sous ma tête.
Nous avons dormi à deux, épaule contre épaule.
J'ai ainsi quitté la zone des morts, et je me suis
découvert des voisins plutôt gentils.

L'un d'eux s'en est pris au jeune garçon :
C'est ignoble, tu lui voles sa ration, alors qu'il
est faible et qu'il en a plus besoin que toi !
Un autre était musicien : il m'a donné à manger, car je ne pouvais plus m'asseoir. Il s'était

fabriqué un banjo avec des câbles de frein. Le soir, les Khmers rouges venaient le chercher pour qu'il joue des airs révolutionnaires avec cet instrument mi-américain, mi-révolutionnaire.

Mon état a empiré. Je fermais les yeux pour mourir. Je me disais : Pars ! Mais je ne partais pas. Alors j'ai été pris d'une sorte d'inspiration. Je me suis dit qu'il fallait que je me procure de *l'écorce de goyave*. Ces mots se sont fichés dans mon esprit : étrange, non ? Il me semblait que ma mère avait soigné mes neveux ainsi, autrefois. Je me souviens qu'elle répétait ainsi des croyances : « Tu te casses une dent, quelqu'un meurt. » Ou « Rêve de goyave, tu te sépares ». C'était ma dernière chance. J'ai rampé jusqu'à un goyavier, non loin de l'hôpital. Adossé au tronc, j'ai longuement mâché des feuilles crues. Le jeune garçon a cherché du bois et a fait bouillir de l'eau : avec l'écorce, j'ai préparé une infusion noire, terriblement amère, qui a stoppé net la dysenterie. J'ai remercié l'arbre des mots. J'ai remercié ma mère, qui m'avait déjà sauvé du cobra. C'était fini, le mal de ventre et le sang, c'était fini la mort. J'étais sauvé.

Peu à peu, j'ai repris des forces et on m'a affecté au nettoyage de la zone des morts. La maladie, corrompue, sucrée, flottait partout. Chaque matin, je m'approchais, la gorge serrée. J'avais peur. Peur des cadavres qu'il fallait chercher, palper, examiner. Un mort est-il mort ? Peut-on le jeter dans la fosse ? Je craignais plus encore les vivants qui tendaient leurs mains, ouvraient leurs bouches noircies. Je les observais : j'avais été à leur place. Ils ne savaient plus rien : le mal, le bien, le propre, le sale, le vif, le droit, tout semblait mêlé. Leur regard ne fixait plus : le monde tanguait devant eux.

J'ai pris mon courage à deux mains, un balai en branches de cocotier, une pelle, et je suis entré. D'abord écœuré, puis simplement occupé, j'ai ramassé les tissus, les déchets méconnaissables, les déjections. Je trébuchais dans cette litière. Je ne reconnaissais rien. J'ai lavé des hommes, aussi, quand c'était possible. Ils vivaient dans leur merde. Au-dessus de leur merde. Je pestais, le visage enfoui dans mon krama. Après, ils me semblaient légers. A force, je me suis habitué aux lieux, et c'est devenu mon métier : nettoyeur.

Un matin, à ma grande surprise, alors que je passais prendre mon matériel dans un local, je suis tombé sur une boîte de médicaments d'autrefois. J'ai commencé à déchiffrer le nom qui était indiqué en français. Ou la posologie, je ne sais plus. J'avais perdu l'habitude, alors j'articulais chaque syllabe. VI-TA-MI-NE. Pénicilline. Mais un responsable khmer rouge, qui s'était approché en silence, a murmuré : « Camarade, tu sais lire le français ? » J'ai sursauté. Pourtant, j'étais aguerri. J'ai répondu quelque chose comme : Non ! Non, quelques mots, même pas... pas du tout... pas vraiment... Cet homme gentil m'a fixé longuement puis m'a dit : Fais attention. Et il s'est éloigné. C'est une des rares fois où j'ai ressenti une vague compréhension : il ne me menaçait pas. Il ne me condamnait pas. Il me conseillait, moi, l'enfant nettoyeur.

Personne n'aurait songé à utiliser mes très maigres compétences en français, non. « Apprenez à manger et à travailler collectivement. » Quelle blague ! Ces quelques syllabes sur une boîte en carton signifiaient ma mort. Par la suite, mais je ne saurai jamais pourquoi, l'homme qui m'a conseillé a été exécuté. Sans doute était-il trop profondément gentil.

Puis on m'a confié une tâche complémentaire, pour laquelle j'ai été aidé par deux autres garçons : enterrer les morts. Nous observions beaucoup. C'était notre travail, préparer la fosse, nous organiser. Avec l'expérience, on sait qui va mourir. Ce n'est pas un savoir, mais une sensation. La mort est pour bientôt : dans les yeux, dans le souffle, dans les mains, dans tout le corps défait. « Ne pas passer la nuit » : l'expression est affreuse, mais c'est vrai qu'on meurt la nuit. A l'aube, je cherchais en silence ceux qu'il faudrait emporter.

Il y avait des blessures purulentes. Des membres inguérissables. Des visages grêlés. Des ventres énormes. Des pieds remplis d'eau : la peau se fissurait sous une pression incompréhensible. De temps en temps on faisait un trou, pour que le liquide s'échappe. Contre le cancer, nous avions des cendres de riz, du sucre de palme, ou du haschich grillé. Nous ne nommions pas les maladies : nous ne les connaissions pas, comme si tout le pays avait été pris de pestes extraordinaires. Seule la mort semblait certaine.

Je me souviens d'un homme rongé par un cancer, qui souffrait terriblement. Il était très digne, mais a fini par nous supplier : « Faites quelque chose ! Essayez... » Sa femme se tenait à ses côtés. Le médecin khmer rouge a eu cette phrase incertaine : « On va faire sortir quelque chose de son ventre, pour qu'il ait moins mal. » Il a agi au mieux. Il a donné un coup de bistouri dans le bas-ventre à vif et le pus a giclé partout. Pendant quelques heures, le malade s'est senti mieux. Puis il est mort d'un coup. J'ai vu alors que le médecin était triste. La femme a travaillé quelque temps au pavillon des cancéreuses, puis elle a été renvoyée à son village.

Les conditions d'hygiène étaient inimaginables : les gants et les masques manquaient. Les instruments étaient ébouillantés, faute de mieux. On aiguisait les aiguilles. Les anesthésies étaient locales et très imparfaites. Surtout, le médecin khmer rouge n'avait aucune formation : la pratique s'imposait. Comment faire autrement quand vous avez humilié, déplacé, mis aux champs, exécuté ceux qui détiennent le savoir ? Cette démarche folle est explicite dans un film d'archive khmer rouge : de très jeunes enfants conduisent en souriant des rouleaux compresseurs ; d'autres travaillent à de petites centrales électriques, sur des paillasses. Comprenez : un jeu d'enfant ! Quelle que soit son origine, un enfant y arrive. Nous les Khmers rouges, nous sommes en rapport avec la matière. C'est la pratique sociale qui nous donne le savoir-faire. Comprenez : c'est la société de classe qui nous en a privés. Malheureusement, le Kampuchea démocratique montre des enfants joufflus dominant des machines – non un médecin qui tremble dans la nuit, le scalpel à la main.

Quand les cameramen est-allemands entrent dans Phnom Penh après sa chute, en janvier 1979, ils filment une capitale entièrement vide. Rien ne semble avoir changé depuis le 17 avril 1975 : et pour cause, les habitants sont partis et ne sont jamais revenus. C'est une longue traversée irréelle et mélancolique. Le film pourrait être sublime s'il ne disait, en creux, le drame du pays. Où sont les humains ? On entre dans des appartements saccagés. Ou pire, dans des maisons en parfait état : la table est mise,

l'assiette est pleine et dévorée par les rats.
Plus loin, des robinets n'ont pas été fermés.
Des volets de bois battent sur la rue. Des
bananiers sont plantés, ici et là, sur le bitume.
Un potager en ville. Les hôpitaux et les laboratoires sont dévastés. Un corps flotte dans
une baignoire jaunie : est-ce une victime ? Un
sujet d'expérience oublié dans son formol ?

Question taboue chez les tortionnaires, lar-
gement méconnue et qui mériterait à soi seule
une thèse d'histoire : les prises de sang forcées
et massives. Autrement dit : prélever l'intégra-
lité du sang d'un humain, jusqu'à sa mort.
Considérer l'être humain comme une enveloppe de chair ; un sac de sang. Comme un instrument. Nous ne connaissons pas le processus
détaillé de cette opération atroce. Il y a un autre
domaine méconnu à S21 : le mode d'exécution
des enfants. Peut-être sommes-nous aujourd'hui
face à deux sujets presque impossibles à évoquer
pour ceux qui ont survécu : les bourreaux. J'en
ajoute un troisième : les viols.
Duch reconnaît quelques prises de sang
massives – j'utiliserai désormais cette expres-

sion. Le chef des registres Sours Thi refuse
de répondre à mes questions ; et le tribunal
ne l'interroge pas sur ce sujet. La mention
« sang » figure pourtant des dizaines de fois
sur les registres méticuleusement tenus. Il faut
comprendre à demi-mot que le sang prélevé
était destiné à soigner des soldats – des blessés du front du Vietnam. Ce qui est certain,
c'est qu'il s'agit d'une mise à mort organisée
et barbare.

Ces prises de sang massives révèlent une
autre obsession de Duch : la pureté. Il affirme
ainsi faire prélever tout le sang de « femmes
éduquées ». Il prend l'exemple d'une jeune
enseignante rentrée de France volontairement
– sans doute pour participer au grand élan
populaire. En face de son nom, il souligne le
mot « sang », inscrit par lui au crayon bleu, à
l'époque. Avec froideur, Duch explique qu'au
vu de son parcours, « elle n'a pas flirté ». Faut-il
en déduire que son sang est « pur » ? Qu'elle
est, à sa façon, une « princesse khmère » ? Une
Joconde ? Mais si elle ne l'est pas, risque-t-elle
de salir un combattant de la cause ? Je ne comprends pas. Est-elle « pure » parce qu'elle a un
parcours intellectuel ? Ou parce qu'elle n'a pas

connu d'hommes ? Et pourquoi prélève-t-on essentiellement le sang des femmes ?

Dans la révolution khmère rouge, ce grand corps qu'est le peuple doit être rassemblé, uni, homogène : que chaque individu soit méconnaissable. Le peuple doit donc être purgé de ses ennemis : impérialistes, Sino-Cambodgiens, Vietnamiens, Chams. Mais le combat est infini contre l'autre caché en soi. Les « techniciens de la révolution » définissent ainsi, au sein du peuple, un autre peuple : ce « nouveau peuple » est un corps nuisible. En fait un corps étranger. En fait le peuple devenu son propre ennemi. Reste à amputer ce membre. L'invention, en son sein, d'un groupe humain considéré comme différent, dangereux, toxique, qu'il convient de détruire : n'est-ce pas la définition même du génocide ?

Les unions organisées par les Khmers rouges témoignent de la même obsession, je l'ai déjà écrit. Le consentement individuel n'existe pas. Une femme et un homme n'ont pas à consentir.

C'est l'Angkar qui choisit – la seule passion étant révolutionnaire. Apparier les êtres, ce n'est pas seulement connaître leur histoire et organiser leur vie : c'est aussi les garder dans le cercle. C'est assurer leur pureté, et celle des générations à venir.

Ainsi Duch eut-il quatre enfants : deux pendant qu'il dirigeait S21 ; et deux par la suite, dans la clandestinité. Au milieu des cris, des coups, des aveux, il fait l'amour à sa femme. Il la caresse. Bientôt il observe son ventre. Elle accouche, aidée par l'infirmière diplômée que Duch a gardée, toutes ces années, près d'eux. Il prend soin de ses enfants. Il leur montre demain.

Duch m'explique sans sourciller : « Je voulais continuer ma lignée. »

Je rencontre un cameraman khmer rouge, Lor Thorn, qui me raconte comment Pol Pot l'envoie dans les provinces reculées de Mondolkiri et Ratanakiri. Je retrouve les images muettes qu'il me décrit, et je les monte en respectant ses indications : c'est la construction d'un mythe.

Pol Pot a découvert dans ces minorités – Jaraï et Bunong – un communisme premier, originel, antérieur au royaume d'Angkor, un communisme intégral. Il l'a découvert ; révélé ; inventé.

Les gens vivent sans monnaie et partagent tout : les récoltes, la chasse, la pêche. Ils sont solidaires et purs. Loin de toute idéologie. Pol Pot avait une si grande confiance qu'il désignait parmi eux ses gardes du corps personnels – ses « messagers ».

L'équipe de Lor Thorn filme donc ces minorités en train de planter le riz sur la terre d'une grande forêt brûlée. Puis on entre dans une vieille cabane : celle de Pol Pot. Une lampe à pétrole, une théière en terre cuite, un lit rustique, une grande carte du Cambodge au-dessus du lit : Pol Pot dort en pensant à son pays.

Sous le lit : un abri de bois. La caméra s'attarde sur le pistolet suspendu à une poutre. Si l'ennemi vient, le Frère Numéro 1 se battra jusqu'à la mort. Sur la table : des livres de Marx, Lénine et Mao – apportés par l'équipe de tournage, m'explique Lor Thorn. Au mur, enfin, la faucille et le marteau, entourés de portraits : Marx, Lénine, Staline, Engels. La révolution naît chez les purs. Dans une cabane.

A Paris, dans les cercles marxistes, puis quand il rentre au Cambodge clandestinement, Pol Pot signe ses tribunes politiques : « Pol Pot, Khmer d'origine ». Pureté, toujours.

A Paris, je vais faire une prise de sang dans un laboratoire tenu par un homme que j'aime beaucoup : un médecin juif dont une partie de la famille a été exterminée par les nazis. Il est généreux, mélancolique. Nous nous comprenons. Nous savons qu'il y a l'énigme humaine, à laquelle nous sommes suspendus. Je lui dis que je filme pendant des centaines d'heures un grand criminel, doctrinaire, méthodique ; qu'il ment souvent ; qu'il parle comme à l'époque des Khmers rouges ; qu'il demeure un mystère aussi grand que le régime même dont il se réclame.

Après un instant, je lui glisse : Docteur, je crois que je suis en dépression. Il m'encourage : votre histoire est difficile, mais il faut continuer. Moi aussi je souffre. Nous souffrons tous comme vous. Oublier est impossible. Comprendre est difficile.

Nous parlons cinéma et histoire. Je lui explique que je prépare le montage de mon film. J'élabore des thèmes, je visionne des centaines d'heures de rushes, y compris ceux de « S21 ». Pendant ce temps-là, il prélève mon sang. Soudain je suis tétanisé. Je tremble. Je ne respire plus. Je lui agrippe la main, au bord de l'évanouissement. Il arrête tout, m'accompagne au café, où j'engloutis du thé chaud et du sucre. Il me faut deux heures pour retrouver des forces, sans comprendre : jusqu'ici, je m'étais toujours senti bien avec cet homme si proche de moi.

Ainsi j'ai cette révélation : Duch a passé un contrat moral avec moi. Un contrat de sincérité. Il me tient.

A compter de ce jour, tout s'échappe. Je dors peu. Je respire mal. Je suis pris de vertiges. Je ne prends plus le métro ni le bus. La nuit, je zappe devant ma télévision. Je suis happé par le flot d'images, happé et reposé. Je tombe. Je me relève. J'ouvre les yeux. J'appelle des médecins en urgence, qui ne trouvent que l'angoisse. Alors je relis mes carnets : le jour de mon malaise, je travaillais sur les prises de sang à S21.

Je finis par en parler à un ami psychiatre, qui me dit : « Rithy, non, tu n'as pas de contrat avec cet homme. Tu ne lui dois rien. Il n'a jamais été dans la sincérité. Tu es libre. »

Alors je commence le montage de mon film. Je monte les images et le son. Je lui coupe la parole. Duch réinvente sa vérité pour survivre. Chaque acte, même horrible, est mis en perspective, englobé, repensé, jusqu'à devenir acceptable ou presque. Je monte donc contre Duch. La seule morale, c'est le montage. Je pense à ce qu'il m'a dit : « Dans tout mensonge, il y a du vrai. Dans toute vérité, il y a du mensonge. Les deux cohabitent. Le plus important, c'est la dénonciation du réseau. »

Pendant quatre ans, je me suis souvent lavé tout habillé. Accroupi, je renversais sur moi un seau d'eau. Ou j'entrais dans une rivière. Je frottais le tissu, mon cou, mes cheveux, mes chevilles, mes pieds. Je séchais au soleil. Ainsi j'étais propre. Je n'ai jamais utilisé de savon ou de dentifrice.

Rien n'était à moi : pas même ma nudité. Si j'ose dire : pas même notre nudité, car je n'ai pas le souvenir d'avoir vu un corps vivant dénudé. Je ne me souviens pas non plus avoir vu mon visage, sauf dans les reflets de l'eau.

Seul un individu a un corps. Seul un individu a un regard sur son corps, qu'il peut cacher, offrir, partager, blesser, faire jouir. Contrôler les corps, contrôler les esprits : le programme était clair. J'étais sans lieu ; sans visage ; sans nom ; sans famille. J'étais dissous dans la grande tunique noire de l'organisation.

Khan : « Pour la prise de sang, on emmenait les prisonniers dans la maison des médecins, en face de l'entrée de S21. On les menottait sur des lits en fer, des deux côtés. On bandait les yeux, on bâillonnait la bouche. Puis on les piquait, un tuyau dans chaque bras, les poches de sang en dessous. J'ai demandé aux médecins combien de poches de sang ils prenaient à chaque prisonnier. Ils m'ont dit que, pour une personne, ils prenaient quatre poches. Une fois la prise de sang

terminée, on les laissait au pied du mur, abandonnés là. Ils respiraient comme des grillons, les
yeux révulsés. Et on creusait les fosses pas loin. »

A l'hôpital, avec un seau d'eau, nous lessi-
vions les lits, puis nous partions préparer la
fosse, dans le soleil déjà blanc : elle serait fermée
le soir même, car nous n'avions ni antiseptique
ni chaux vive : l'odeur était insoutenable et nous
redoutions les épidémies.

Dans la salle, il fallait déposer le corps soi-
gneusement sur un hamac en toile de jute, la
même pendant des semaines, puis le transporter ainsi jusqu'à la fosse, derrière l'hôpital. Combien de fois avons-nous fait ce chemin terrible ?
Avec mes deux acolytes, nous étions écœurés
par l'odeur. Par les mouches. Par la terre. La
mort nous salissait les mains. La terre se fissurait quand les cadavres, après quelques jours,
gonflaient.

Un soir, sans nous déshabiller, nous nous
sommes aspergés d'alcool en suffoquant. Je me
souviens de cette eau sèche qui a collé nos
vêtements et brûlé nos paupières.

Nous marchions pieds nus dans la salle des morts, dans l'hôpital, au bord de la fosse. Nous travaillions mains nues parmi les malades, dans la crasse et la moiteur. Mais la maladie nous épargnait. Nous nous étions endurcis. Nous croisions des malades qui marchaient de salle en salle ; beaucoup étaient perdus, pris de tremblements, les yeux vagues ; penchés sur une canne ; d'autres s'asseyaient pour ne plus se relever. C'était un monde fantomatique. Nul ne semblait tout à fait vivant.

Derrière l'hôpital, les fosses étaient réparties sur un grand terrain. Nous suivions un plan assez précis. Les enfants, les femmes et les hommes étaient enterrés séparément. A force de creuser et de combler, on s'éloignait du bâtiment. Rapidement, les Khmers rouges ont planté des haricots verts, des concombres, des courgettes et des potirons sur les fosses recouvertes. Je me souviens de leurs incroyables racines jaunes, grises et longues, qui couraient chaque jour un peu plus loin, elles aussi. Elles nous narguaient. Les corps font un excellent engrais, c'est ce que dit le slogan de l'Angkar que j'ai déjà évoqué. Quand je retrouvais des morceaux de potiron dans ma soupe, j'étais écœuré. Je voyais les racines plonger dans la terre semée d'ossements.

Vingt ans plus tard, je suis passé en voiture devant cet hôpital et j'ai appris que l'Autorité provisoire des Nations unies au Cambodge avait là un grand chantier. Je me suis approché. Des excavatrices avaient creusé un lac, à l'endroit même des fosses. J'ai dit au chef de village : « Mais c'était un cimetière, ici. Il y a des centaines de cadavres enterrés. J'y ai travaillé. » Il m'a répondu : « Oui, je sais bien, on trouve beaucoup d'os. Que voulez-vous... » Le lac avait été creusé – plus rapidement qu'avec des pelles et nos muscles, c'est certain – mais l'eau n'a jamais eu une belle couleur. Elle est restée d'un vert épais, taciturne. Personne ne l'utilise jamais : ni pour les bêtes, ni pour les récoltes. Ni pour boire. C'est une eau morte.

Le visage des bourreaux. J'en connais un certain nombre, on l'aura compris. Parfois, le rire. Parfois, l'arrogance. Parfois, l'agitation. Souvent, un air fermé. Buté. Oui, il y a une tristesse du bourreau.

Je pense à ce gardien qui n'a pas torturé : il entre à S21 à treize ans. Après quelque temps, il demande au peintre Nath un petit dessin, et il dresse une liste de ce qu'il voudrait y voir figurer – toute son enfance : une cabane ; une rizière ; des cocotiers ; deux bœufs ; une nasse à poisson. Son village lui manque. Pendant les pauses, il s'oublie dans cette vision mélancolique. De temps en temps, il s'assoupit. Huy le réveille brusquement : « Attention camarade, la prochaine fois… » Terrifié, le jeune garçon lèche du piment écrasé et du sel, quand il sent la fatigue le gagner. Je lis dans son regard d'aujourd'hui l'enfant qu'il n'a pas été.

Le visage du bourreau : perdu dans des images qu'aucun d'entre eux ne raconte, comme s'il y avait une limite infranchissable. L'innommable. Et je ne demande rien. Pour ne pas avoir à raconter ensuite. Pour que la part humaine demeure : c'est à eux de cheminer. Mais ils ne disent rien des viols. Rien du détail des tortures. Rien du destin des enfants ou presque.

Question : « Pourquoi les prisonniers ont-ils peur de toi ? » Réponse : « Parce qu'ils sont enchaînés. » Je pose la même question. Réponse :

« Parce que je suis gardien et eux prisonniers. »
Je pose la même question. Réponse : « Le gardien doit être méchant. Comment voulez-vous
qu'ils protestent contre moi ? » Le monde
simple de l'obéissance. Choisis par Duch à
treize ans, arrachés à leurs familles et à leurs
villages, éduqués dans la souffrance et la mort,
ils ne connaissent que l'ordre : « Leur niveau
culturel est bas, mais ils sont loyaux envers
moi », explique Duch. Plus tard : « Ceux qui,
à l'origine, ne sont pas paysans, hésitent à
tuer. Ils ne le font pas de leurs propres mains.
Mais les paysans illettrés, si on leur demande
de tuer, ils le font. Ils le font de leurs propres
mains. » Il répète : « Ils le font de leurs
propres mains. » Ce sont des outils. Ils sont
la main de la révolution, qui blesse, tue et ne
tremble pas.

A M13, un jeune gardien, Khoan, interroge
son grand-père, Sok.

Khoan : Tu me reconnais ?

Sok : Oui, tu es mon petit-fils.

Khoan : Comment tu m'appelles ?

Sok : Mon petit-fils !

Khoan : Sexe de ta mère ! Tu es un ennemi et tu m'appelles petit-fils !

Khoan frappe Sok à coups de bâton. Sok tremble, le supplie, appelle Khoan « monsieur » puis « grand frère ».

Khoan : Oui, c'est ça, tu dois m'appeler « grand frère ». Je suis jeune mais plus vieux que toi dans la révolution.

Ce jeune gardien, aujourd'hui âgé, est venu témoigner au procès de son ancien maître, Duch. Mais il a omis de parler de son grand-père.

Paris. Quartier des livres. J'achète un recueil de poèmes de Jacques Prévert. Je m'assieds sur un banc et je feuillette. *Cheveux noirs...* Le voici. Je récite à voix basse, et c'est la voix de mon père.

> *Cheveux noirs cheveux noirs*
> *Caressés par les vagues*
> *Cheveux noirs cheveux noirs*
> *Décoiffés par le vent*
> *Le brouillard de septembre*
> *Flotte derrière les arbres*
> *Le soleil est un citron vert*

Je crois sentir sa main sur ma tête. Je devine son odeur de tabac et d'étude. Mon père ne reviendra pas. Le soleil de Paris est un citron vert. Je me lève. J'abandonne ce poème sur un banc, et sa chevelure de livre caressée par les vagues.

Les slogans pensent à notre place. Victor Klemperer écrit : « La langue librement pratiquée relève de la culture. » Mais qu'est-ce qu'une langue « librement pratiquée » ? La langue khmère rouge est toujours une injonction, un ordre, une menace. Mais quelle langue Duch pratique-t-il aujourd'hui ? Et que signifient nos mots pour lui ?

Je lui demande à qui il aurait voulu ressembler. Duch me répond : « J'aurais voulu être Pierre Curie. J'admire Pierre et Marie Curie. Ça aurait pu être Kim Heng et moi. Mais je n'ai pas la capacité. » Il admire aussi Gandhi : « J'aime voir des photos de lui en méditation, les yeux fermés, les mains sur les genoux. C'est le calme. La sagesse. » Il me raconte même un épisode de la vie de Ghandi – véridique ou non, peu m'importe : Ghandi prend un train, qui déraille.

Il y a de nombreuses victimes. On cherche des blessés. Partout les cris, la souffrance. Dans les orties, projeté hors de son wagon, on retrouve le sage, les yeux fermés, en prière.

Radio khmère rouge : « Nous avons vaincu les ennemis de l'extérieur, en particulier les Américains. Il faut vaincre maintenant les ennemis de l'intérieur, car il en reste. Il faut vaincre aussi les ennemis qui n'ont pas de forme visible : les habitudes impérialistes de notre cœur. »

Soudain, Duch semble se souvenir. La femme « opérée vivante », en fait disséquée vivante, c'est Mme Thach Chea, l'épouse de l'ancien ministre de l'Education de Lon Nol.

Je poursuis le travail de mon père. Transmettre. Donner la connaissance. J'ai tout sacrifié pour ce travail, qui me prend ma vie. Et je ne m'habitue pas. Ni aux images. Ni aux mots. Je pense à cet enfant de mon âge qui, assoiffé, boit la nuit l'eau des rizières, et avale une sangsue. Je me souviens de Huy, adjoint de sécurité de Duch, qui refuse de reconnaître qu'il a tué des centaines de personnes à S21 ; comme je le questionne, il finit par me lancer, presque moqueur : « Dis-moi, tu veux un chiffre ? Combien ? » Je pense à Duch qui me demande si je vais rencontrer sa mère. Comme je lui réponds « non, je la laisse tranquille, je ne veux pas la voir, c'est vous que je viens interroger », il semble étonné.

Je pense à Khieu Samphan, secrétaire général du bureau 870, qui prétend découvrir le génocide grâce à mon film *S21 – La machine de mort khmère rouge* et affirme qu'il ne savait pas : « Sans minimiser les crimes des Khmers rouges, il faut saisir le problème dans toute sa complexité. Il est nécessaire de comprendre pour libérer la jeune génération des stéréotypes contradictoires auxquels nous sommes habitués. » Je pense à Nuon Chea, Frère Numéro 2, qui ose : « Je ne sais pas où est Tuol Sleng (S21). Je n'ai jamais reçu de confession. Et puis c'est quoi, Tuol Sleng ? Je ne sais pas. A l'époque, je ne suis jamais là-bas. Même maintenant. »

L'âge venant, je me sens toujours plus fragile. Je ne prends pas de distance : je ne peux pas. Et je ne veux pas. Ou plutôt, je me tiens à distance humaine. Je veux pouvoir *toucher* mon sujet. Je n'ai ni arme, ni baïonnette, ni peur, ni envie. Si je tends la main, je touche cet homme.

20 juin 1977 à S21.
253 exécutions
225 hommes
28 femmes
3 camions
2 fosses.

Je suis devenu l'ami de mes deux camarades fossoyeurs. Une amitié véritable, sincère : c'était rare, dans cette époque de contrôle absolu, de délation, d'injustice sans cause, de paranoïa. Sans doute fallait-il la sueur, le poids des corps jetés en terre, la maladie qui nous frôlait et nous démangeait, sans doute fallait-il cette odeur de mort que je pressens, aujourd'hui encore, à l'instinct, pour que nous soyons ainsi liés. Pioche en main, pieds nus, nous ne marchions presque jamais, nous courions entre les fosses, parfois sans pouvoir les éviter. Le sol était meuble, tassé d'os et de creux. La décomposition nous guettait. La vermine.

Je travaillais sans cesse et j'avais faim. A l'hôpital, dans la zone que je nettoyais, j'ai croisé un homme malade, et j'ai compris qu'il allait mourir rapidement. Je lui ai proposé de me donner sa demi-ration de soupe. Il a refusé et j'ai pensé : « Dommage. » Finalement, comme je passais près de lui, il m'a dit : « Prends-la ! » J'ai emporté sa gamelle, je me suis installé à l'écart, mais là, je n'ai pas pu avaler une goutte. Pas une. J'avais honte.

La première fois, un garçon a agi ainsi ; me proposant de partager, il m'a presque sauvé. Je dis « presque » parce que le goyavier m'a sauvé sans partage. Mais il a partagé sa couche avec moi : il m'a tiré du côté des vivants. Ce geste a été décisif. Quand le même épisode est revenu, j'étais du côté des vivants : j'ai pensé à cet homme très malade, il me semblait que je ne le privais pas beaucoup (il n'avait pas faim et il était à l'agonie) mais je n'ai pas avalé sa soupe de riz. C'est mon père qui m'a guidé ce jour-là. Mon père était libre et vivant de n'avoir pas mangé. Et moi j'échangeais une nourriture dont il n'aurait pas voulu. J'ai rendu sa gamelle à l'homme malade, qui est mort quelques jours plus tard.

Nous empilions les corps dans les fosses communes : tête contre tête, pied contre pied. Parfois tête-bêche, pour gagner de la place. Ou de profil. Vingt corps par fosse, à la pire époque. Parfois un ou deux. Affreuse disposition d'os et de peau. Je suis hanté par le son que fait un corps humain qui tape un autre corps humain. J'utilise à dessein le mot « tape », et non « heurte », ou « cogne ». C'est un son très particulier, mat, je ne sais comment dire. Un petit son de bois vert. Il n'y avait que des os, pas de graisse, pas de chairs, tout était ossement, souffrance, creux. J'ai su qu'un corps humain tombe. Et dans mes cauchemars, aujourd'hui encore, j'entends ce son.

J'ai souvent voulu poser la question à Duch : Connaissez-vous le son d'un corps humain qui tape un autre corps humain ? Mais je ne l'ai pas fait.

Il murmure : « J'ai pitié de ceux qui sont morts. J'ai pitié aussi de ceux qui tuent. Personnellement, je ne peux pas le faire. » Un gardien m'a dit la même phrase, mot pour mot : « J'ai pitié aussi de ceux qui tuent. »

Dans le monde de Duch, tout est logique. Tout est à sa place. Tout est classifié : ancien ou nouveau ; détruire ou garder ; tuer ou être tué. Même la pitié a deux facettes. C'est un monde de pure idéologie, où la sincérité n'est pas un objectif : à celui qui a avoué sous les tortures, à S21, et qu'on conduit les yeux bandés vers la mort, on dit qu'il est en route vers son village.

Duch cherche l'innocence dans l'horreur. Il peut donc affirmer qu'il est « l'otage du régime et l'acteur de ce crime » – autrement dit : « même acteur du crime, je suis innocent », autrement dit : « Auriez-vous fait mieux ? »

Duch parle en slogans : tout semble lisse, équivalent. Rien ne pèse. On croirait des paroles de sagesse, des aphorismes. Certains mots disparaissent ou se chevauchent. La phrase coulisse. Duch affirme : « Le héros est celui qui n'a pas peur de la mort. » Puis il se reprend : « Le héros est celui qui n'a pas peur de tuer. »

Quand il bute sur un mot, quand une phrase lui échappe, Duch stoppe net. Et reprend. Chaque phrase doit être accomplie. Est-ce une habitude politique ? Est-ce la prudence ? Le discours est clos.

A S21, on ne donne presque rien à manger aux prisonniers. Ils s'affaiblissent. Souffrent. Tremblent. Sont frappés sans cesse. Il faut briser toute résistance, toute humanité.

A son arrivée à S21, le peintre Nath me dit ne pas être allé à la selle pendant près de cinq jours, faute d'aliments. Il perdait conscience très facilement. Des camarades tortionnaires disent avoir porté un prisonnier sur le lit électrifié. Puis l'avoir ramené dans la salle commune, après plusieurs heures de sévices.

A dix-huit ans, je découvre *Nuit et Brouillard* d'Alain Resnais. Je suis surpris. C'est pareil.

C'est ailleurs. C'est avant nous. Mais c'est nous.

Je relis ces pages. Je voudrais effacer mon enfance. Ne rien laisser : ni les mots, ni les pages, ni la main qui les tient en tremblant ; ni les dalles tièdes de l'entrée, où attend ma mère ; ni les tissus ; ni les volutes ; ni les vertiges. Il ne resterait que Duch et moi : l'histoire d'un combat. J'ai filmé ses oublis et ses mensonges. Sa main qui erre sur les photographies. Sa respiration forte, soudain, comme si l'exaltation d'autrefois était encore là, aux poumons.

A treize ans, je ne pensais qu'à tenir. Et aujourd'hui ?

On m'a donné le titre d'enfant-médecin. Je lavais les sols. J'enterrais les cadavres. J'assistais aux opérations. Je vivais entre les enfants et les adultes. Entre les vivants et les morts. J'ai vu des choses qu'il est impossible d'oublier. J'en rends compte ici pour une raison simple : il faut comprendre et se souvenir. Ne pas renoncer au nom de la bienséance – pire : au nom de l'idéologie.

Un jour, j'ai entendu des cris en salle d'opération. Je suis allé voir, comme mon statut m'y autorisait : là, une jeune femme se tordait de douleur, écarlate, se tenant le ventre durci par l'effort. Elle avait commencé à accoucher mais l'enfant se présentait mal, et ne sortait pas. Elle nous suppliait. « Aidez-moi... Sauvez-moi... Sauvez-nous... » Je n'arrive pas à oublier ses hurlements inhumains. Une jeune femme, médecin khmer rouge, l'a examinée. Opérer ? Ne pas opérer ? Elle hésitait. Les instruments attendaient dans l'eau bouillante. Avec le recul, je pense qu'une césarienne n'était pas impossible, mais elle n'a rien fait.

Tout le monde savait qu'un véritable médecin vivait dans le village voisin, mais c'était un « nouveau peuple ». Il aurait fallu le faire venir. Personne n'a voulu. Ou personne n'a osé. L'idée d'avoir recours à un membre de la classe honnie était insupportable. Plutôt la mort que le renoncement à l'idéal.

Ils se sont donc retirés et ont laissé cette jeune femme mourir seule pendant des heures. Elle ne dormait plus, ne buvait plus. Elle gémissait, jambes écartées, sourde à toute parole, à tout geste. Je me souviens de ses mains enflées par la tension et la peur. Je me souviens de son ventre qu'elle a fini par frapper. Le sang palpitait à son cou. Elle mourait avec son bébé. Soudain, la jeune femme a cessé de gémir. Elle s'est raidie, et de jeunes infirmières se sont dépêchées de l'enrouler dans une toile de jute. Ce jeune corps écarlate, difforme, c'était l'idéologie même : elles l'ont enterré sans attendre.

Duch observe une photo de lui, derrière un micro : « Regardez mon visage ! Ce n'est pas un visage triste, mais un visage avide d'expliquer l'essence de ce langage. Cette langue de tuerie, de position ferme, de la dictature prolétarienne, c'est moi qui l'ai diffusée à S21. Celui que le parti a arrêté doit être considéré comme un ennemi. N'hésitez pas ! Ce sont les mots du parti. C'est le parti qui vous guide ! C'est moi ! Vous hésitez ? Pourquoi ? C'est le parti qui vous guide ! Le parti c'est moi ! »

Il se renverse en arrière, les yeux au ciel : « Excusez-moi, je fais l'important », et il rit. Une fois encore, il rit. Modestie. Fierté. Etrange aveu du patron qu'il voudrait ne pas être.

Il a cette même fierté quand il évoque Koy Thourn, le ministre du Commerce, qu'il « traite » personnellement et dans le plus grand secret. Je l'ai filmé plusieurs fois sur ce sujet et, à chaque fois, Duch a été fier d'expliquer qu'il n'avait pas torturé Koy Thourn physiquement. Qu'il l'avait vaincu par la parole – par le combat politique. C'est l'idée qui gagne : ce corps de doctrine qui organise la société, avec ses commandements, ses slogans, ses hommes de main. Nous vivions dans la doctrine.

Nous savions qu'il y avait des plants de haschich derrière l'hôpital : c'était un des seuls remèdes disponibles contre la douleur. Le soir, nous volions quelques feuilles, nous les passions au feu, doucement, et nous les fumions en secret pour oublier la mort.

Un soir, un médecin khmer rouge est arrivé avec une moustiquaire pleine de petits poissons : nous n'avons pas demandé d'où ils venaient, nous nous sommes précipités pour préparer une soupe de poissons… au haschich !

Mais j'ai dû passer la mesure, et j'ai perdu tous mes moyens à la fin du repas. Je riais sans cause, j'étais incapable de parler ou de me contenir.

Le directeur de l'hôpital de Mong était le camarade Roeun, qui aimait nous montrer ses mains tachées de sang à Battambang, et qui m'avait conduit au bord d'une fosse. Il s'est approché de moi : Alors, camarade chauve, qu'est-ce qui t'arrive ? Pourquoi ris-tu ainsi ? En effet, je riais, je pleurais. Il a compris, et s'est tourné vers le groupe, très mécontent : Qui lui a donné du haschich ? Qui ? Tout le monde a baissé la tête. Il y a eu un grand silence, interrompu par mes ricanements idiots. Je m'entendais rire tout seul, et j'entendais une voix en moi affirmer froidement : Arrête ! Ou c'est fini pour toi ! – la voix de ma conscience… Or c'était mécanique ; hallucinant, au sens propre du terme. Le directeur a commencé à hurler : « Il faut l'évacuer ! » Tout l'énervait, mon rire, le silence des autres, le désordre individualiste, le plaisir incontrôlable. J'ai titubé jusqu'à mon hamac. Je riais encore, tremblant, pétrifié.

Une nuit, je me souviens avoir aperçu un éclair dans le ciel, comme un reflet métallique. Un objet parachuté ? Je rêvais éveillé : une force bienveillante m'envoyait un appareil photo. Il est pour toi, Rithy, pour que tu saisisses ce que tu vois, pour que rien ne t'échappe. Pour que tu puisses, plus tard, montrer ce qui a été. Montrer ce cauchemar.

Je ne comprenais pas pourquoi personne ne venait à notre aide. Pourquoi nous étions abandonnés. C'était insupportable, la souffrance, la faim, la mort partout. Et le monde se taisait. Nous étions seuls. Il n'y avait ni parachute ni appareil photo, et j'ai pleuré.

Quand je suis arrivé en France, je me suis souvenu de cet épisode. Je me suis appliqué et j'ai écrit une longue lettre au secrétaire général de l'ONU. Je lui raconté ce que j'avais vécu : je concluais en demandant pourquoi rien de sérieux n'avait été entrepris pour le Cambodge. Pourquoi j'avais été si seul, moi l'orphelin et l'enfant. Pourquoi l'inaction était impardonnable. Pourquoi nul ne pouvait vivre avec ma mémoire.

Je n'ai jamais reçu de réponse de sa part. Rien. Pas même un simple mot officiel. Le jeune garçon blessé que j'étais n'a pas accepté ce silence : l'adulte que je suis, moins encore.

Qui était secrétaire général de l'ONU en 1979, et depuis 1971 ? Kurt Waldheim, qui fut soldat sous les ordres du « boucher des Balkans », à partir d'octobre 1943, et eut sans doute un rôle dans la sanglante opération Kozara. Sans doute pas un criminel de guerre. Ni un nazi. Mais certainement pas un homme de paix. Alors aujourd'hui, je donne le nom de celui qui fut à ce poste influent, ce nom de compromission et de lâcheté.

Je filme un tortionnaire khmer rouge qui fut aussi directeur de prison dans son district, à Stœung Trang. Aujourd'hui, c'est un notable. Il n'a jamais déménagé. En 1979, les Vietnamiens l'ont maintenu à son poste. Un policier reste un policier. Je filme son regard dur.

Face à lui, trois paysans chams évoquent les sévices auxquels ils ont survécu. L'un d'eux raconte qu'il devait pisser et chier dans un fût de bambou. Qu'il n'était plus un homme. Il se souvient de ses plaies, et des punaises qui avaient colonisé sa paillasse. Soudain il lance :

« Pourquoi tu m'as torturé ? » Le notable rit : « Ce n'est pas comme ça que la question doit être posée. C'est à toi de savoir pourquoi tu es emprisonné ici. Si tu es ici, c'est que tu es coupable ! » Le paysan : « Mais tu vois bien qu'on était innocents ! Et qu'on était des humains ! »

Le notable se fige. Ses gestes deviennent mécaniques. Il se lève et hurle : « Camarade ! Tu ne dois pas tuer les punaises qui te piquent. Elles sont élevées par les gardiens. Elles appartiennent à l'Angkar ! » Il effraie le paysan : « Voilà, comment vous avez peur ! Je vous donne un coup de bâton, vous me répondez sans raison que vous êtes caporal ! Et si je vous donne un deuxième coup, vous me répondez que vous êtes colonel ! Et si je vous donne encore un coup, vous me dites que vous êtes général une étoile ! Et si je vous donne cent coups de bâton, vous êtes un général cent étoiles ! Voilà ce que vous êtes ! »

Nous finissons par nous disputer, lui et moi. Je lui lance : « Tu n'es plus à l'époque des Khmers rouges ! » Il me répond : « Les Khmers rouges y en a partout, même à Phnom Penh ! Tu me cherches ? Tu me cherches ? Tu veux te battre ? » Moi : « Et pourquoi je me battrais avec toi ? Tu es qui, toi ? » Je sens que rien n'a changé : tout pourrait reprendre, si facilement. La cruauté est face à nous.

Un après-midi, je demande à Duch : « Vous affirmez ceci. Mais Huy prétend l'inverse. Qui croire ? Et pourquoi devrais-je vous croire, vous, plutôt que lui ? » Duch me lance sèchement : « Si vous croyez ce que vous dit Huy, allez voir Huy ! Il faut tout arrêter. Tout de suite. C'est banal… Vous êtes tellement banal, monsieur Rithy ! » Je lui réponds : « Je suis banal, moi. C'est vrai. Mais je vous pose des questions sur des gens qui sont morts. Alors ce n'est certainement pas la meilleure réponse que vous pouvez me faire ! » Duch s'excuse, très calme. Il se dit fatigué. Il se lève, suivi par les gardiens. Fin de la séance.

Je ne marche plus pieds nus. J'écris et je filme : c'est un peu vivre. Je voudrais échapper à cet homme qui n'en finit pas d'expliquer sa méthode : « Il ne faut pas hésiter ; pas douter dans votre esprit ; sinon ça ralentit votre responsabilité d'interrogateur. Même si le coupable est de votre famille, même si c'est quelqu'un en qui vous aviez confiance dans le passé. »

Duch me raconte qu'il est appelé par Son Sen : « Frère Nuon (Chea) exige une photographie du cadavre de Ly Phel. » Duch se met en rage : « J'ai injurié Nuon Chea dans ma tête. Fils de pute ! A S21, le travail est fait. Et bien fait. Ly Phel a avoué. Il a été exécuté comme il se doit. Mais on n'a pas confiance en moi ! Alors pourquoi m'employer à cette tâche ? »

Duch fait donc rouvrir la fosse où est enterré cet homme, à S21 même : l'odeur est épouvantable, les hommes serrent leur krama sur leur visage. Duch fait photographier le cadavre, qui est enseveli de nouveau.

Parfois je sens la main de cet homme qui cherche ma gorge, à travers l'espace et le temps.

Duch me récite *La mort du loup*, d'Alfred de Vigny.

Gémir, pleurer, prier est également lâche.
Fais énergiquement ta longue et lourde tâche
Dans la voie où le sort a voulu t'appeler,
Puis, après, comme moi, souffre et meurs sans
[parler.

Je lis ce poème. Un petit groupe de chasseurs traque deux grands loups-cerviers et deux louveteaux. Le mâle meurt en égorgeant un chien. Son corps est lardé de coups de couteau.

Il nous regarde encore, ensuite il se recouche,
Tout en léchant le sang répandu sur sa bouche,
Et, sans daigner savoir comment il a péri,
Refermant ses grands yeux, meurt sans jeter
[un cri.

Les chasseurs renoncent à poursuivre les autres loups. Troublé par cette mort, l'un deux médite ainsi :

Et ton dernier regard m'est allé jusqu'au cœur !
Il disait : « Si tu peux, fais que ton âme arrive,
A force de rester studieuse et pensive,
Jusqu'à ce haut degré de stoïque fierté
Où, naissant dans les bois, j'ai tout d'abord monté.
Gémir, pleurer, prier est également lâche.
Fais énergiquement ta longue et lourde tâche
Dans la voie où le sort a voulu t'appeler,
Puis, après, comme moi, souffre et meurs sans
[parler. »

Duch est stoïque, Duch est un loup.

Alors il a saisi, dans sa gueule brûlante,
Du chien le plus hardi la gorge pantelante
Et n'a pas desserré ses mâchoires de fer...

Duch déchire le chien dans sa gueule. Il est prêt à tout pour sauver les loups.

Jusqu'au dernier moment où le chien étranglé,
Mort longtemps avant lui, sous ses pieds a roulé.

Voici Kaing Guek Eav, dit Duch, enfant sage et stoïque.

J'ai quitté la zone des morts. Le néant allait son train. Après l'épisode de la soupe de haschich, j'ai pensé qu'on m'enverrait dans un camp de travail terrible, dans la région des zones sèches. Or j'ai été conduit à un tranquille élevage de canards, à l'écart de tout. Est-ce que l'Angkar s'était trompé ? Est-ce que cet élevage était considéré à tort comme un lieu de travail pénible ? Je n'ai jamais su.

Nous étions deux jeunes garçons en semi-liberté, à l'image de la cinquantaine de canards dont nous avions la garde. Un jeune médecin khmer rouge était avec nous, car les canards appartenaient à l'hôpital. Régulièrement, un responsable local déposait des réserves : du riz pour nous ; du son pour les canards. Pour le reste, c'était à nous de nous débrouiller. Nous cherchions ainsi des feuilles et des racines pour nous préparer des soupes ; de petites grenouilles. Nous pêchions discrètement. Etrange liberté, dont nous avons profité à plein.

Nous nourrissions nos canards le mieux possible, mais les journées nous semblaient vides et identiques. Jamais nous n'aurions pensé à nous enfuir : pourtant, nous étions seuls pendant des semaines. Régulièrement, un cadre khmer rouge passait à vélo pour une visite de contrôle. Ou bien c'était le directeur de l'hôpital voisin, à moto. L'air sérieux et concentré, il faisait un tour de l'élevage et nous questionnait : Alors, tout va bien ? Est-ce que vous comptez atteindre les objectifs de l'Angkar ? Nous nous tenions à carreau, mais nous savions pourquoi il était là. Après quelques minutes, il demandait au jeune médecin de lui préparer un

canard. Celui-ci nous tendait la bête démanti-
bulée : à nous de la plumer et de la cuire pendant sa sieste.

Au réveil, il dévorait son repas sans un regard
pour nous. Il laissait les pattes, trop maigres,
que nous gardions précieusement. Inspection
terminée, il nous quittait. Je me souviens avoir
sucé ces pauvres pattes cuites pendant des
heures. La peau fine, l'os dur, l'odeur de la
volaille adoucie au feu, c'était un régal.

Jamais nous n'aurions osé tuer un canard.
La punition aurait été terrible. Quand une bête
était malade, il fallait apporter sa dépouille
à l'hôpital et faire un rapport écrit : celle-ci
devait disparaître officiellement des tableaux et
des objectifs chiffrés. Une ou deux fois, nous
avons gobé des œufs crus en tremblant. Mais
les canes semblaient stériles et donnaient peu
d'œufs.

Je souris presque à écrire ces lignes. Ainsi il
y avait des élevages au Kampuchea démocratique, et des canards qui s'ébrouaient, canca-
naient, mouraient de dysenterie, se perdaient
dans les broussailles, croisaient parfois plus fort
qu'eux. Ainsi certains mangeaient des œufs et
du canard. Notre élevage servait surtout aux

cadres khmers rouges. Tout peuple a ses fai-
blesses. J'ai vu la faim emporter mes neveux ;
emporter aussi une idéologie. Le peuple a un
ventre, qui mange le peuple – mais celui-ci ne
le sait pas.

Puis nous avons senti que tout était boule-
versé, jusqu'à notre élevage de canards. Etait-
ce le début des purges internes, en 1977 ? Je
n'avais plus aucune notion du temps. Je me
laissais flotter sur une mer sèche et douloureuse. Notre responsable a disparu du jour au
lendemain et a été remplacé par un vieux. J'ai
été envoyé dans une unité d'enfants, proche de
l'hôpital, où je ne connaissais personne.

Là, je suis devenu l'intendant d'un groupe
d'enfants. Je devais m'assurer qu'ils avaient le
« nécessaire » (ces guillemets me paraissent indis-
pensables, tant nous vivions pauvrement).
Tous les matins, je partais avec un gamin chercher de la nourriture à la coopérative du village. Nous partions pieds nus. Nous portions
à deux des centaines de kilos dans la semaine :
des patates douces, du riz, rarement un peu de
sucre. La marchandise était ensachée et répartie

sur des palans de bambou : avec l'habitude, on apprend à marcher et à faire basculer les charges, qu'elles entraînent votre corps et ne vous scient pas l'épaule. Car le bambou est incroyablement souple. J'ai même appris à changer d'épaule en chemin, sans m'arrêter. Le soir, nous étions fourbus. Mais comme tous les intendants, je prélevais de quoi tenir : une poignée de riz cru, mâché en silence sur le chemin du retour ; une patate douce ; je me souviens aussi avoir léché un peu de sucre.

L'atmosphère était terrible. Au réveil, certains avaient disparu. Les Khmers rouges ont toujours agi la nuit. Est-ce une habitude de guérilla ? Ou une stratégie de terreur ? Je n'ai jamais su. Il faut dire qu'on dispose aujourd'hui de très peu d'archives ou d'éléments du bureau 870 – alors que Duch a abandonné des milliers de pages d'archives à S21, qu'il a quitté en catastrophe. Difficile d'interpréter certains messages, certains slogans. Impossible d'établir formellement, par exemple, si c'est Pol Pot lui-même qui a rédigé l'hymne sanglant du Kampuchea démocratique, « Glorieux 17 avril » ; s'il a traduit *L'Internationale* en khmer, comme on l'affirme souvent.

Un jour qu'un chef de l'unité d'enfants se lavait dans un ruisseau, à mes côtés, je l'ai entendu dire à un autre que, selon la radio américaine, la situation était très mauvaise à la frontière vietnamienne. Le camarade Prem a ajouté à voix basse : « Putain, j'espère que ça va vite péter. » Le camarade Pheap, un jeune soldat khmer rouge déchu, a répondu : « Ce serait bien que ce soit avant le nouvel an khmer ! J'en ai marre des cadres de Ta Mok ! » Il s'est retourné et a compris que j'avais tout entendu. J'ai vu la peur dans ses yeux ; mais j'avais peur, moi aussi. Nous pouvions tous trois nous dénoncer. Nous étions tous coupables – tous condamnés par avance. L'un d'avoir parlé ainsi – un cadre, qui plus est ; l'autre d'écouter sans broncher une telle confidence et de critiquer les cadres de Ta Mok ; le troisième, de ne pas les dénoncer tous deux sur-le-champ – mais aurais-je été cru ? Un pacte silencieux s'est donc installé entre nous trois. Les deux chefs de dix-huit ans m'ont gardé dans leur unité : ils préféraient m'avoir à l'œil.

Quelques jours plus tard, j'ai commis une imprudence. Par lassitude, peut-être. Par fierté, ou par désir de provoquer quelque chose. Un

jour qu'un tableau avait été installé, j'ai commencé à écrire un slogan révolutionnaire en
belle calligraphie khmère. C'était une folie. Le
moindre signe était interprété, réinterprété. On
jugeait à tout va. Le vieux cuisinier m'a vu et
s'est approché. Il m'a arraché la craie des
mains et m'a dit : « Ta gueule. Efface. Sinon
je le fais moi. » J'ai eu peur qu'il me frappe,
j'ai pensé « sale con », et j'ai effacé le texte.
Cet homme qui ne m'aimait pas m'a sauvé la
vie.

Je demande à Duch de se définir. Il répond
en français : « Je suis stoïque. » Tout de suite
me revient la maxime : supporte et abstiens-
toi. La sagesse stoïcienne. La sagesse de Zénon.
Indifférence, impassibilité, courage. Je réponds :
« Stoïque ? Vous êtes sûr ? Etre stoïque, c'est
s'oublier pour une juste cause – ce n'est pas
assister à la mort des autres. Vous êtes sûr que
ce n'est pas plutôt sadique ? » Duch : « Sadique ?
Non, j'ai dit stoïque. Je suis stoïque. » Je poursuis : « Et pervers ? Est-ce que vous êtes pervers ? » Il répète doucement « pervers », plusieurs
fois, mais il semble hésiter sur le sens du mot.

Il me demande de l'épeler, ce que je fais : le bourreau inscrit ce mot dans sa paume. En s'appliquant. PERVERS. J'aime l'idée qu'il a regagné sa cellule, ce jour-là, serrant dans sa main un mot qu'il ne connaissait pas. Le lendemain, je lui ai demandé s'il avait cherché la définition dans un dictionnaire, mais il a esquivé. Et sa main était propre.

Pendant nos entretiens, Duch rit souvent. Parfois il me lance en riant : « Vous vous moquez de moi. Vous essayez de vous moquer de moi. » Il rit parce qu'il rit. Parce qu'il cache sa colère ou sa gêne. Il rit aussi pour me faire rire. Pour partager. Pour que je le comprenne. Il rit pour que je sois lui. Que je sois à mon tour un bourreau, peut-être. Et que je cesse de l'observer.

Un soir, le camarade Cau, le crâne rasé, les épaules larges – un dur, un « liquidateur » – s'est présenté devant le groupe et a dit : « On vient chercher deux gamins. Pour un chantier, ailleurs. » Nous étions terrifiés car le bruit courait depuis plusieurs jours qu'un déplacement était prévu : la destination devait être un enfer.

Dans notre vocabulaire d'alors, on disait : *on va être forgé.* Il y a eu un grand silence.

L'homme a fait un pas en avant et m'a désigné, ainsi que le fils du chef du village. Je ne comprenais pas pourquoi un ancien peuple m'accompagnait, mais je n'ai pas posé de questions, bien sûr. J'ai pris ma cuillère et mon sac de velours, et nous sommes partis sur-le-champ.

Dans chaque village, le camarade Cau était accueilli avec beaucoup de respect. Nous, les deux enfants, nous n'existions pas. Nous n'avions pas le droit de parler, mais nous écoutions, et nous comprenions que la situation était difficile. Tous murmuraient, l'air sombre. Notre voyage a duré deux jours, et nous avons fini par arriver près du grand lac Tonlé Sap. C'était un autre élevage de canards ! Voilà l'enfer qu'on nous avait promis : quelques cabanes tranquilles.

Aujourd'hui, je pense que le chef du village, qui sentait que l'aventure tournait mal, a voulu mettre son fils à l'abri – loin de tout. Mais il ne fallait pas donner le sentiment que ce déplacement était un choix individualiste. D'où les rumeurs qui ont couru sur « ceux qui vont être forgés », les jours précédents... Je crois avoir été choisi parce que j'étais un orphelin sans attaches. J'avais vécu dans des lieux très durs, j'étais une caution. Le fils du chef n'a pas dit un mot pendant le trajet : il était très calme. Je pense maintenant qu'il savait.

Nous étions sept à élever les canards, dans une relative autonomie... mais nous avions très faim. Nous avons pêché les poissons du lac, ce qui était interdit, et à force d'en manger, nous avons eu des diarrhées terribles. Puis il y a eu de grandes crues, les plus fortes que nous ayons connues en quatre ans. Le fleuve et le lac ont gagné la terre à perte de vue. Notre cabane était sur l'eau.

Un matin, nous avons vu dériver vers nous une montagne de paille. Je me souviens m'être demandé, avec les autres : Qu'est-ce que c'est que ça ? Puis nous avons compris que c'était de la paille de riz. Nous avons pleuré de joie.

Nous avons nagé jusqu'à la paille, et tiré cette masse énorme à la force des bras. Toute la journée, nous avons tapé les fétus avec des bâtons, et nous avons fini par récolter quelques poignées de riz. Nous étions sauvés.

La vie s'écoulait lentement. Mais un jour, le fils du chef du village a été appelé par un homme couvert de boue. Il m'a fait un salut de la main, et il est parti. J'ai appris que sa famille avait disparu quelques jours après : on est venu les réveiller dans la nuit, et ils sont tous partis à pied, en silence, les mains attachées dans le dos.

J'avais réussi à conserver la montre-bracelet de mon père tout au fond de mon sac. Elle a disparu. Je me suis plaint auprès du camarade Cau, qui a organisé une fouille générale. Il a trouvé la belle Omega en acier, et a failli tuer sur-le-champ le gamin qui me l'avait volée.

Mais peut-être Cau était-il moins cruel qu'il ne le laissait paraître ? Il m'a demandé s'il pouvait porter cette montre quelque temps : elle lui plaisait beaucoup. J'ai accepté. Puis, comme convenu entre nous, il me l'a rendue.

Tous les cadres khmers rouges que j'ai croisés arboraient des marques de « distinction ». J'emploie à dessein la notion de Pierre Bourdieu : elle est plus inattendue à propos d'un dirigeant des campagnes révolutionnaires que chez un jeune capitaliste d'aujourd'hui. Mais chasse-t-on si facilement les désirs ? Les cadres qui portaient un beau béret de toile, une montre, ou de vraies sandales, par exemple, étaient respectés. On ne leur réclamait jamais de laissez-passer. Je ne sais pas ce qui était respecté : la valeur distinctive des objets, réelle ou fantasmée, dans un monde sans monnaie, sans superflu, dans un monde parfaitement uniforme ? Ou la capacité de confiscation dont ces objets attestaient ?

Les images de propagande ont le mérite d'affirmer l'ambition du régime. A l'évidence, celui-ci veut montrer au monde de jeunes combattants, en pleine santé, souriants, enthousiastes. Film de propagande communiste classique, jusque dans les effets visuels. Mais il y a des images terribles : de petits garçons qui ploient sous la charge, de jeunes enfants décharnés... On devine que les travailleurs, au premier plan, sont en fait des cadres khmers rouges : ils ont de vraies chaussures ; ils sont bien nourris, on le voit à leurs joues, à leurs mains, à leurs avant-bras ; enfin, ils portent presque tous un stylo dans leur poche de chemise – comme Pol Pot. Distinction pas morte. Sur des images filmées dans la jungle, sans doute avant 1975, tous les dirigeants de l'Angkar portent deux ou trois stylos dans la poche – étonnante médaille d'un régime qui s'enorgueillit de casser les lunettes et de fermer les écoles...

Le camarade Cau arborait la belle Omega en acier et n'était pas du tout gêné. Au contraire ! Il la découvrait à dessein. Pauvre Panh Lauv, s'il avait su que sa montre d'homme achèterait un jour un peu de liberté à son jeune fils, qu'aurait-il pensé ?

Je peine à saisir le décalage qui existe entre la langue de l'Angkar et la langue de Duch, aujourd'hui qu'il est en prison. François Ponchaud l'a bien montré dans *Cambodge année zéro*, publié en octobre 1976, la langue de l'Angkar est travaillée par le vocabulaire guerrier. « Lutter pour attraper le poisson » ; « lutter pour produire avec courage » ; « lutter pour labourer et ratisser » ; « lancer l'offensive pour l'élevage ». Il donne des exemples à l'infini :

nous étions tous des « combattants ». Et nous cherchions la « victoire sur l'inondation » ; la « victoire sur la nature ».

Organiser. Forger. Combattre. Tels étaient les mots qui irriguaient le pays, la langue, nos cerveaux. Un déferlement de slogans.

Combien de fois n'ai-je entendu ce mot « maître » ! Maître du pays. Maître de la nature. Maître des usines. Maître de tout et de rien, à l'évidence, nous le ressentions si profondément. Qui parmi nous se serait dit maître de ses jours ? Maître de son destin ? A l'arrivée, pourtant, « tous les travailleurs sont joyeux comme s'ils venaient de renaître ».

Je me souviens qu'on nous disait à l'aube : « Partons au front ! Allons lutter et cultiver la rizière ! » Moi-même je le répétais devant les cadres khmers rouges. Entre nous, bien sûr, nous disions : « On va repiquer le riz. » Si nous n'avions pas vécu dans la peur, nous aurions trouvé cet écart ridicule. Les dirigeants khmers rouges avaient donc développé cette langue sans dialogue, sans échange, cette langue dérivée, violente, fondée sur des mots khmers, qui en écartait certains et en forgeait d'autres. Aujourd'hui, tout n'a pas disparu de cette grammaire où il n'y a pas de place pour l'émotion, le doute, le trouble.

Duch murmure comme un sage. Il utilise des mots neutres, cachés. Certains sont le fruit de l'idéologie, comme « cadre interrogateur » – on comprend. Ou « méthode chaude » (pour la torture) – on devine. Mais il y a aussi les mots qui ne heurtent pas, qu'il faut interpréter en fait – sinon, sait-on qu'on a affaire à un criminel de masse ? Evoquant un homme qui agonise sous la torture, à S21, Duch parle de sa « santé affaiblie ». Rappelant les compétences de ses équipes, choisies et formées par lui comme on l'a vu, il insiste : « Mes cadres savaient frapper, et tout le reste. » « Tout le reste » ? Un autre jour, il fait l'éloge du « frapper avec réflexion ».

Je crois que cette façon d'être et de parler a pu fasciner, et fascine encore. Même mon ami Nath, enfermé à S21, survivant par le seul bon-vouloir de Duch (qui inscrivit de sa propre main, sur son dossier : « garder pour utiliser » ; en effet, il peignit des portraits de Pol Pot pendant un an, et fut l'assistant du sculpteur), met un certain temps, à l'époque, à saisir le personnage : il y a d'un côté l'homme éduqué, doux, qui parle un khmer châtié et qui vient le voir tous les jours en l'appelant « peintre Nath » ; il observe ses tableaux, donne son assentiment, sourit (non loin de là, on électrocute, on fouette, on arrache les ongles) ; et il y a le maître de S21, chef du centre de torture, qui ne connaît pas le doute.

Les années passent, les mots s'estompent. Le langage de Duch, aujourd'hui, mêle l'aveu et le refus de l'aveu. D'où sa douceur ondoyante et lâche, bien loin des ordres mathématiques qui ont jalonné son enfance.

Une fois, en quatre ans, j'ai reçu de l'Angkar un pantalon bleu foncé sans forme, que je nouais par une cordelette, comme avait fait mon père. Deux fois, des médecins khmers rouges de l'hôpital m'ont donné une chemise noire. Eux-mêmes vivaient dans la peur : pire, dans la peur de la peur.

J'essaie de détailler la chronologie de ces années. Comment retourner trente-cinq ans en arrière ? Et faut-il retourner ? Non. Non, je ne retourne pas. Je cherche. Les lieux. Les dates. Les saisons. J'organise ma page par année. Je dessine des flèches. Je griffonne. Au tout début, Kôh Thom. La pagode de Kôh Tauch. L'hôpital de Mong. De Battambang. Pursat. Le camp de Maï Rut, à la frontière thaïlandaise. Des odeurs me reviennent, parfois. Des détails oubliés. Je frissonne sous la pluie. Je devine des pas. Un buffle me frôle. Où sont les humains ? Il reste ma feuille de papier et mon pauvre trait noir. Quelqu'un se tient derrière moi, et pleure.

Puis le camarade Cau m'a ramené au village. J'ai assisté à son mariage devant l'Angkar. Ce jour-là, ils étaient une quinzaine de couples à se tenir debout devant un cadre du district. Ni joie, ni musique, ni danse ; mais quelques slogans criés, engageant les jeunes couples à être fidèles à la révolution et à témoigner leur reconnaissance à l'Angkar clairvoyant...

Nous avons repris la vie aux champs, épuisante et placide. Un soir, un homme – un médecin khmer rouge que j'avais connu à l'hôpital de Mong – tirait une charrette chargée de sacs de riz. Pour gagner du temps, il a traversé la rizière, au lieu de longer le terre-plein. Il risquait d'embourber son chargement. Il enfreignait la règle. Des Khmers rouges se sont précipités. Ils l'ont frappé et insulté. Puis ils ont décidé de l'exécuter. Il n'a pas eu un cri. Le corps est resté plusieurs jours sur le bord de la rizière, la nuque fracassée.

Pendant la préparation du procès de Duch, je note cette phrase de Mao Tsé Toung : « Je ne suis responsable que de la réalité que je connais, absolument pas responsable de quoi que ce soit d'autre. Je ne connais pas le passé et je ne connais pas le futur. Ils n'ont rien à voir avec la réalité de ma propre personne. » Je ne suis responsable « que de la réalité que je connais » : le temps, l'histoire, la pensée ne sont pas pour les humains.

C'est la fin de l'hiver à Paris. Assis dans un jardin public, j'observe un enfant qui pousse devant lui un rouleau à musique. Ses sandales se perdent dans une jungle minuscule. Il hésite en souriant et finit par tomber. Sa jeune mère se précipite et l'embrasse en riant. Tout est parfois si doux. Je chauffe un cigare avec une allumette. Je tourne le fût de tabac que je tiens entre mes lèvres. Je suis ailleurs. Dans le tabac, la jungle. L'enfance. Soudain je hurle : l'allumette m'a brûlé les doigts. J'ai aperçu dans un éclair l'homme blanc brûlé vif dans des pneus. Il hurle. J'ai crié aussi. Je ramasse le cigare dans l'herbe. Ma main tremble un peu.

Quand l'armée vietnamienne et quelques unités de la résistance cambodgienne ont pris Phnom Penh, le 7 janvier 1979, ça a été la débandade du côté des Khmers rouges. Les Vietnamiens étaient surarmés, motorisés, aguerris par des dizaines d'années de combat.

A Mong, une unité de blindés a fait une percée par la route nationale. Les combats ont été brefs mais très violents. Les Vietnamiens ont détruit des trains et une partie de la gare, puis sont repartis vers Pursat et Phnom Penh. Ils venaient probablement tester la résistance du camp d'en face, avant l'offensive finale. Peut-être ont-ils tenté de stopper un train khmer rouge, parti de Phnom Penh.

Tous nos cadres ont disparu d'un coup. Comme volatilisés. Retour à la jungle. La joie a été telle que je suis allé chercher une chemise blanche, au fond de mon sac à dos. Je l'ai enfilée fièrement. Le blanc pour fêter la vie. « On est libres ! » Et là, qui accourt, très mécontent ? Le même vieux cuisinier, qui pointe son doigt vers moi et lance : « Ta gueule ! Tu enlèves ta chemise blanche ! Tout de suite ! » Cette fois-ci, je ne me suis pas laissé faire : « Alors, chaque fois qu'on a une bonne nouvelle, tu viens nous empêcher de profiter ! Les Khmers rouges, c'est terminé ! » Il s'est approché, menaçant : « Tu enlèves ta chemise blanche et tu te tais ! » C'était sans appel. Je me suis déshabillé tristement, et j'ai remis ma chemise noire.

Quelques jours plus tard, les Khmers rouges ont réapparu : l'homme qui ne m'aimait pas m'avait sauvé la vie de nouveau. Tous ceux qui avaient profité de la situation ont été massacrés. Certains avaient emporté du riz ; d'autres siphonné de l'essence. Ils ont été exécutés d'un coup de pioche. J'ai attendu quelques jours avant de réapparaître : je m'étais caché chez les accoucheuses. Les cadres khmers rouges écoutaient la radio américaine désormais, et ils savaient que le combat était mal engagé pour eux.

Je me souviens qu'à cette époque, j'ai eu avec Pheap le projet très sérieux d'exécuter un cadre khmer rouge : il arrêtait des dizaines d'hommes, de femmes et d'enfants, qu'il ligotait les uns aux autres. La machine de mort ne distinguait plus vraiment l'ancien et le nouveau peuple. L'ennemi était partout.

Nous débordions de colère. Prem n'était pas avec nous, mais il nous a laissés faire. Pheap et moi avons pris des machettes. Nous avons suivi cet homme cruel. Nous l'avons guetté. Je m'imaginais le frappant jusqu'au sang.

Le jour dit, il est arrivé à vélo, et nous avons surgi, avec nos machettes. Mais n'est pas assassin qui veut. Pourtant, ce n'est pas le courage qui nous manquait. Il a ralenti et nous a lancé, soupçonneux : « Ça va, camarades ? » Il s'est arrêté. Et nous avons baissé les yeux : « Ça va... »

Je pense à cette phrase de Fouquier-Tinville, accusateur public du Tribunal révolutionnaire : « Les têtes tombent comme des ardoises. »

La semaine qui a suivi, Pheap et moi avons erré d'une cachette à l'autre, du lit de la rivière séchée au champ de maïs, derrière le village. Nous avions trouvé une cartouche de M79 : si nous étions dénoncés, nous pensions nous faire exploser, en tournant trois fois la tête de la cartouche. Mais le camarade Prem est venu nous chercher, et nous a placés sous sa protection : pendant deux mois, notre unité n'a pas cessé de se déplacer. L'Angkar a transporté le riz de la coopérative vers la montagne et nous a distribué des armes, venues d'on ne sait où. Prem a reçu un CK7 chinois. Et nous avons marché vers des zones reculées.

Dans la montagne, nous avons reçu des rations de riz plus abondantes, comme si les Khmers rouges cherchaient à nous convaincre, à nous retenir. Les mots « nouveau peuple » ont disparu : nous étions tous des Khmers face à l'envahisseur vietnamien. En quelques heures, le discours de l'Angkar est devenu radicalement nationaliste.

Lassés de ne manger que du riz et du sel, Pheap et moi avons décidé de descendre vers la région de Mong, jusqu'aux forêts proches du grand lac Tonlé Sap – où nous pourrions pêcher.

J'ai rédigé un magnifique laissez-passer, que Pheap présentait froidement à chaque barrage, dans chaque village traversé. Je me souviens avoir écrit, au bas du document : « Vive l'Angkar révolutionnaire extraordinairement clairvoyant ! Vive le Parti communiste du Kampuchea ! » Aucune signature. Ces deux slogans suffisaient.

Avec son langage officiel parfait, sa tenue noire, son chapeau, ses deux stylos, Pheap en imposait. Des cadavres gisaient ici et là, dans des villages déserts. Nous avons continué notre chemin au milieu du chaos.

En chemin, nous avons découvert un grand bassin artificiel, presque à sec. L'eau boueuse était couverte d'écailles et d'yeux blancs : des centaines de poissons asphyxiés. Il suffisait de se pencher pour en ramasser. Nous avons été rejoints par d'autres hommes, affamés eux aussi.

Deux soldats en armes sont apparus sur la digue, et l'un d'eux a tiré en l'air, puis vers nous : « Qui vous a donné le droit d'attraper ces poissons ? Ils appartiennent à la collectivité ! Qui êtes-vous ? » Ils nous ont rassemblés, sous le soleil blanc, et ont exigé une autocritique. Dans le contexte nouveau, c'était irréel.

Nous nous sommes assis. Pheap a tout de suite demandé à prendre la parole, il s'est levé, a fixé ces deux soldats perdus et leur a parlé d'une voix martiale : « Camarades ! Nous avons besoin de ces poissons pour nos camarades, qui sont dans les campements de la montagne. Nous avons besoin de ces poissons pour lutter contre l'ennemi vietnamien ! Vive l'Angkar ! Vive l'Angkar ! » Tous ceux qui étaient assis ont levé la main droite en l'air et répété « Vive l'Angkar ! ».

Les deux soldats nous ont laissés emporter les poissons. Et nous nous sommes régalés.

Nous nous sommes éparpillés. Je suis devenu responsable d'une quinzaine d'enfants, tous orphelins : ils avaient sept ou huit ans. Nous avons pris ce qui nous restait de riz au campement, nous l'avons réparti dans nos pantalons retroussés. Je portais notre filet de pêche. Chaque enfant avait son balluchon. C'étaient tous nos trésors.

Le dernier mois, dans la forêt, j'ai été frappé par des crises de paludisme terribles. Elles me brisaient un jour sur deux, toujours après le déjeuner, toujours à la même heure. Quand je commençais à frissonner, je prévenais les enfants. Len, une jeune fille « nouveau peuple » que j'aimais pudiquement, faisait chauffer de l'eau. Quand je commençais à trembler de froid, elle appliquait les pierres chaudes contre tout mon corps. Ils étaient deux ou trois à me tenir. C'était terrible. Il me semblait entendre ma mère qui murmurait : « Courage, Rithy. Courage. » Les crises se sont aggravées. Il fallait cinq ou six enfants sur moi pour m'empêcher de trembler. Après le froid, c'était la fièvre. Je délirais, je roulais par terre. Len appliquait sur tout mon corps des écorces de capoquier, que nous avions cherchées dans la forêt. La température baissait peu à peu. Je sombrais dans la torpeur. Tenir dans la forêt, c'est difficile. Au bout d'un mois, les crises se sont espacées, puis adoucies.

De tous côtés, la discipline s'effondrait. Quand les Vietnamiens ont été proches, de nouveaux slogans sont apparus en quelques heures : « A mort Pham Van Dong ! », « A mort les voleurs vietnamiens, avaleurs de notre terre ! ». Les Khmers rouges ont choisi de poursuivre le combat, et m'ont demandé de les accompagner. J'ai refusé net. Ils ont disparu dans le maquis, à la frontière avec la Thaïlande.

Les orphelins sont rentrés au village, où ils ont été recueillis et adoptés par des familles. Imagine-t-on des mots si simples, si évidents ? Recueillir. Adopter. C'était la liberté. Liberté de parler. Liberté d'utiliser nos mots.

J'ai retrouvé le camarade Cau, qui m'avait semblé si dur ; il était avec sa femme, et il m'a dit gentiment : Reste avec nous ! Là aussi, j'ai refusé. J'ai dit : je pars. Il faut que je parte. Qu'on me laisse tranquille. Tu comprends ?

Le camarade Pheap a disparu. Est-il parti avec les Khmers rouges dans la jungle ? Je ne saurai jamais.

J'ai retrouvé ma grande sœur, qui était avec ses amis – c'est incroyable, non ? Eux hésitaient.

Pas nous. Ma sœur et moi nous avons marché vers la Thaïlande. Notre périple a duré des semaines et appartient à la triste histoire des réfugiés. Les Thaïlandais nous ont battus. Pourchassés. Donnés aux Khmers rouges. Un jour, nous nous sommes assis, et nous avons demandé aux soldats thaïlandais de nous exécuter, plutôt que de nous repousser sans cesse vers la jungle et les champs de mines.

Quelque temps, nous avons vécu près d'une pagode : les Khmers rouges étaient en face, de l'autre côté de la rivière. Ils nous guettaient.

Ma sœur avait réussi à mettre à l'abri quelques bracelets en or, que j'ai transportés au fond d'une bouilloire, scellés dans du riz trop cuit. La nuit, chaque jeune fille dormait avec deux ou trois hommes, qui la protégeaient des soldats.

Nous avons été ballottés, méprisés. Personne ne voulait de nous. Puis un journaliste nous a découverts en pleine jungle, il nous a signalés à la Croix-Rouge, et c'est ainsi que nous avons été sauvés. Mais deux autres colonnes de centaines de personnes ont disparu corps et biens.

Au camp de Maï Rut, nous avons été photographiés. Comptés. Soignés. Je me souviens encore du goût des sardines en boîte. De mon premier chewing-gum. Et de l'odeur des camions : depuis combien de temps n'avais-je pas senti l'essence ?

Mon oncle rentré des Etats-Unis pour reconstruire le Cambodge a été torturé et éliminé à S21.

Quatre de mes frères étaient à l'étranger pour leurs études quand les Khmers rouges sont entrés dans Phnom Penh, et ils y sont sagement restés. Ils n'ont eu aucune nouvelle de nous pendant quatre ans. Deux étaient en France, un en Allemagne, un en Algérie. C'est ainsi qu'avec ma sœur, grâce au regroupement familial, j'ai pu gagner la France.

En janvier 1979, Alain Badiou conclut ainsi sa tribune intitulée « Kampuchea vaincra ! », publiée dans *Le Monde* : « Outre les tensions accumulées dans les siècles par l'absolue misère du paysan khmer, la simple volonté de compter sur ses propres forces et de n'être vassalisé par personne éclaire bien des aspects, y compris en ce qui concerne la mise à l'ordre du jour de la terreur, de la révolution cambodgienne. (…) Il n'est pas même demandé d'examiner en conscience à qui sert finalement la formidable campagne anticambodgienne de ces trois dernières années, et si elle n'a pas son principe de réalité dans la tentative en cours de "solution finale". »

En 1980, dans *After the cataclysm*, jamais traduit en France, cosigné avec Edward S. Herman, Noam Chomsky écrit : « While all of the countries of Indochina have been subjected to endless denunciations in the West for their "loathsome" qualities and unacceptable failure to find humane solutions to their problems, Cambodia was a particular target of abuse. In fact, it became virtually a matter of dogma in the West that the regime was the very incarnation of evil with no redeeming qualities, and that the handful of demonic creatures who had somehow taken over the country were systematically massacring and starving the population. How the "nine men at the center" were able to achieve this feat or why they chose to pursue the strange course of "autogenocide" were questions that were rarely pursued. » Je traduis : « Tandis que tous les pays d'Indochine ont été sujets à des dénonciations sans fin, en Occident,

pour leurs caractéristiques "répugnantes" et
leur intolérable incapacité à trouver des solutions humaines à leurs problèmes, le Cambodge
a été la cible de critiques particulièrement viru-
lentes. En fait, on a pratiquement fini par tenir
pour un dogme, en Occident, que le régime
[des Khmers rouges] était l'incarnation même
du mal, sans aucune qualité qui puisse le sauver ; et que la poignée de créatures démo-
niaques qui avait fini par s'emparer du pays
massacrait et affamait le peuple. Comment les
"neuf hommes du Centre" ont pu réaliser ce
projet ; ou pourquoi ils ont choisi de poursuivre
la voie étrange de l'"autogénocide" : ce sont des
questions qu'on creuse rarement. »

Je relis ces phrases. Les mots glissent et
s'échappent. Je ne comprends pas.

On trouve, dans le « Livre noir de Duch »,
la définition de ceux qui sont susceptibles
d'entrer à S21. Il y a deux cas, explique-t-il à
ses jeunes élèves : « ceux qui sont libres, et
libres de parler ; et ceux qui sont déjà surveillés
par l'Angkar ». Le peintre Nath montre ce
cahier à un tortionnaire. Il lui demande de lire

ce passage et de l'expliquer. Il insiste : « Si l'on ajoute les deux cas, ceux qui sont libres, et libres de parler, et ceux qui sont déjà surveillés par l'Angkar, que reste-t-il ? Est-ce que cette définition n'engage pas *tout le peuple* du Kampuchea démocratique ? » Le « camarade interrogateur » se tait. Demande à ce que soit répétée la question. Il ne comprend pas. Il dit ne pas comprendre.

Je ne sais pas si les mots me soignent ou m'épuisent. Les images viennent, je les chasse. Dans la journée, je déplie un lit de camp dans mon bureau, sous le ventilateur, et je tombe. Ainsi je ne crains pas le vertige. Je ne suis pas tenté d'y mettre fin.

Certains soirs, un chef khmer rouge passait et désignait plusieurs personnes : « L'Angkar vous a choisis pour faire des études. On part. Tout de suite. » Ils disparaissaient ensemble dans la nuit, à pied, sans un bruit. On les retrouvait la tête fracassée, le lendemain. Certains essayaient de savoir, de reconnaître un visage. Je n'ai jamais voulu approcher. Jamais. Pour moi, un homme sans sépulture, c'est un cauchemar.

Les corps restaient là, dans leurs costumes noirs, mangés par les rats et les vers, sucrés par le soleil, noyés pendant les pluies. Ils engraissaient la peur.

Dans les slogans khmers rouges, dans leurs chants et leurs gestes, dans les paroles de Duch, il y a un lyrisme glacé. Les slogans sont ciselés et parfaitement rythmés. Je pense aux images de propagande, à ces milliers d'enfants, de femmes et d'hommes armés de pelles, qui semblent danser dans la poussière. Ils ne dansent pas. Ils défilent. Ils creusent, charrient, étayent. Ce ne sont plus des humains, mais des éléments de la puissance. Le peuple est une noria. Le peuple est une idée. Est-ce l'accomplissement des Lumières – la raison universelle à l'œuvre ? Ou est-ce leur fin ?

Dans ces slogans, ces gestes, ces paroles, ces images, je ne vois qu'une exaltation abstraite. Quand l'idée devient l'idéal, posez-vous cette ultime question : et l'homme ? Réponse : l'homme, quel ennui…

Duch : « François Bizot a raison. Tout le monde peut être un bourreau. » Il me montre du doigt en riant : « Sous les Khmers rouges, monsieur Rithy, vous auriez pu être à ma place ! Vous auriez fait un bon directeur de S21 ! » L'idée lui plaît beaucoup. Il se renverse en arrière : « Vous êtes tellement sérieux ! » C'est son système : vous embarquer avec lui, par le rire, par la proximité ; vous faire sien ; vous faire lui. Je réponds simplement : « Non. » Il rit encore.

Duch est un homme. Et je veux qu'il soit un homme. Non pas retranché, mais rendu à son humanité par la parole.

J'ai rêvé enfant qu'un appareil photo m'était parachuté dans la nuit : aujourd'hui je tiens cet appareil entre mes mains. Aujourd'hui je sais pourquoi je filme ; pourquoi j'écris. Je regarde les hommes. Tous les hommes. Chacun à sa place.

Je me souviens avoir trouvé un nourrisson, par terre, sur la route de Mong. Il ne pleurait pas. Je me souviens l'avoir porté dans mes bras et donné à une vieille femme. Je la vois courbée, appelant d'autres femmes, cherchant du lait maternel.

Duch évoque son obsession du secret, qui s'appliquait absolument à S21, à la torture de masse, et à Chœung Ek, le champ d'exécution, où ont été exécutés puis jetés dans les fosses des milliers de cadavres. Lors du « Séminaire » du 30 février 1976, dont un compte-rendu détaillé a été conservé, Duch résume ainsi : « Il y a quatre secrets : je ne sais pas ; je n'ai pas entendu ; je n'ai pas vu ; je ne parle pas. »

Un soldat des forces spéciales, stationné à Phnom Penh, me raconte comment lui et ses hommes étaient chargés d'arrêter « sur liste ». Des femmes et des hommes arrivaient de province, pour « étudier » ou pour participer à une réunion avec l'Angkar. On leur demandait de déposer leurs balluchons dans un coin ; puis on leur annonçait qu'un banquet avait été préparé pour eux, avant leur rencontre avec un dirigeant khmer rouge. Une fois entrés dans la pièce, ils étaient mis en joue et menottés dans le dos.

Ils étaient ensuite parqués à l'arrière du camion ; aucun Khmer rouge ne devait se trouver avec eux (ils étaient déjà retranchés du monde humain) ; le camion était bâché et roulait vers Tuol Sleng ; à plusieurs rues de l'entrée de S21, il devait s'arrêter ; des camarades du centre arrivaient en hurlant, prenaient possession du camion, remplaçant ses occupants officiels, et ils le conduisaient à l'intérieur ; un peu plus tard, le camion leur était rendu. S21 était surveillé jour et nuit par des gardiens. Clos par des palissades et des barbelés électrifiés pendant la nuit.

L'autre mensonge est celui fait aux prisonniers ayant avoué sous la torture. Est-ce qu'un gardien, un tortionnaire, un responsable, Duch lui-même, venait parler au peuple incarné en l'homme ? Est-ce qu'on lui disait : « Camarade, tu as trahi le régime, tu sais ce qui t'attend ? » Pas du tout. On bandait les yeux du prisonnier ; on lui passait les menottes ; on libérait ses pieds (entravés jusqu'alors). Les gardiens ou les camarades tortionnaires lui disaient : « Au revoir. Vous retournez au village. Ne recommencez pas. Essayez de vous reconstruire. » Incroyable mensonge de l'Angkar, alors que la torture, mentale et physique, avait pour objectif d'obtenir une confession détaillée... J'imagine que ce mensonge était nécessaire pour empêcher la rébellion, des cris, des troubles, qui auraient rendu le transfert difficile – et brisé le secret. Mais il réduit à néant le processus de justice « populaire ».

Je passe au présent. La procédure est précise et parfaitement respectée. Dans l'après-midi, les bourreaux de Chœung Ek ont été informés du nombre exact de prisonniers à venir, et ont creusé une fosse. La nuit venue, les camions s'arrêtent non loin du champ d'exécution. Près d'une cabane. Le groupe électrogène fonctionne à plein, pour les néons. Les prisonniers entravés, les yeux bandés, attendent assis dans le bruit infernal. Ils ont faim et soif. Ils transpirent. Ils sont épuisés. Souvent blessés. Certains ont été frappés pendant des semaines. Un homme est emmené vers la fosse, il ne sait rien, il ne voit rien, il n'entend qu'un brouhaha, il croit peut-être qu'il va monter dans un camion. On l'agenouille. Il reçoit alors un coup de barre à mine très violent sur la nuque. Il s'effondre dans la fosse où l'attend un deuxième exécuteur, qui l'égorge. Parfois le prisonnier est déjà mort, mais le fait d'égorger vide le corps de son sang ; ainsi le cadavre n'enflera pas ; et se décomposera plus rapidement. Les Khmers rouges sont nerveux à l'idée qu'on puisse détecter les fosses.

Vient le tour du prisonnier suivant. A côté de la fosse, un homme surveille les opérations et vérifie le nombre de corps sur son registre. Il ne doit pas y avoir d'écart entre les listes transmises par S21 et celles tenues à Chœung Ek. Il est arrivé qu'un prisonnier s'échappe du camion, dans la nuit : on le cherche sur des kilomètres. On le retrouve. Au moindre écart, les bourreaux extraient tous les corps de la fosse, dans la nuit, dans le sang, ils les comptent, les recomptent, les identifient.

Puis les corps sont allongés tête-bêche. On récupère les vêtements, qui serviront aux prisonniers du centre. On récupère les menottes ensanglantées, qui seront rincées dans de grandes jarres, à S21.

Il y a sur place une petite unité de gardiens. Les tueurs surveillent également les fosses : au petit matin, elles ont été comblées. La mort est un secret.

Duch prétend n'être allé qu'une seule fois à Chœung Ek, sur ordre de Son Sen, et n'avoir rien vu, car « tout se faisait à la lueur des lampes de poche ».

Quand je raconte cette version à deux au moins des tortionnaires, ils sont révoltés. « Duch ? Une seule fois ? » « A la lueur des lampes de poche » ? Impossible. Ils me confirment qu'ils travaillaient sous les néons : « Le ciel était clair comme le jour. »

La logistique de l'ensemble est efficace et rodée. Il est inimaginable que Duch ne la contrôle pas de bout en bout – il a le titre de secrétaire général du parti. Et le chaos s'installerait vite, au regard du nombre de personnes enfermées, torturées, assassinées. Duch affirme : « A S21, le parti, c'est moi », et il a ce geste étrange et appuyé : il montre sa bouche avec ses deux mains.

Comme j'insiste, Duch me glisse : « J'y suis allé aussi avec Mâm Nay, mais ne le dites pas au tribunal... Pour protéger Mâm Nay... » L'homme est tout entier dans cette confidence : il nous livre une part de vérité (je suis allé plus d'une fois à Chœung Ek) ; une part de mensonge (il ne dit pas au tribunal « pour protéger Mâm Nay », qui n'a rien réclamé et n'est pas poursuivi par la justice) ; et il poursuit un mensonge plus vaste, puisque, à l'évidence, il s'est rendu maintes fois dans ce lieu décisif. Je l'interroge aussi sur ses visites aux différents centres de détention et d'exécution, en province – mais en vain : « A Kompong Thom ? C'était pour un déjeuner avec mon beau-frère, qui était chef du bureau de sécurité. A Kraing Ta Chan ? Non, je n'y suis jamais allé. Mais il y avait là un cadre dirigeant qui me ressemblait un peu et qui s'appelait aussi Duch. »

Par la suite, il fit exécuter son beau-frère à S21.

Pour ma part, j'ai fait plusieurs fois le trajet entre S21 et Chœung Ek, avec Huy mais aussi avec Vann Nath : de nuit, à l'heure des convois.

La banalité du mal : la formule est séduisante et permet tous les contresens. Je m'en méfie. Il est vrai que l'homme banal d'Arendt, par ses propos, par sa vision, banalise le mal. J'entends donc : « banalisation du mal », comme s'il n'y avait que des fonctionnaires ou des maillons dans le processus d'extermination. Comme s'il n'y avait que des hommes de bureau. Comme s'il n'y avait ni responsable ni projet. Un monde de rouages, de crémaillères et d'axes tachés de sang.

Les expériences de Stanley Milgram vont dans le même sens : tout individu, en laboratoire, peut donner une décharge électrique douloureuse ou mortelle à un inconnu. Tout individu peut devenir un bourreau. Il lui suffit de se soumettre, d'obéir, peut-être même de jouir d'obéir. Mais qui ne se soumet pas ?

Je ne nie pas que certains bourreaux puissent être ordinaires, ou qu'un homme ordinaire puisse devenir un bourreau. Mais je crois à l'individu dans son unicité. Je m'intéresse à son parcours émotionnel, familial, intellectuel ; à la société dans laquelle il évolue. Ainsi Duch conçoit des méthodes de torture ; les affine ; les enseigne. Il annote des dossiers. Recrute des tortionnaires. Modèle ses équipes. Les aiguillonne. Duch rend des comptes à ses chefs. Discute avec eux. Il est continûment dans le contrôle et la connaissance de ses actes.

Duch n'est pas le chef d'une prison, il est le

responsable de S21 : le centre qui rend compte directement au bureau 870 ; le centre dont on ne sort jamais ; le centre qui peut « traiter » de très hauts dirigeants du régime.

Je reviens à ma formule : ni sacralisation ni banalisation. Duch n'est pas un monstre ou un bourreau fascinant. Duch n'est pas un criminel ordinaire. Duch est un *homme qui pense*. Il est un des responsables de l'extermination. Il faut le regarder dans son parcours : s'il pouvait affiner ses méthodes à M13, ce n'est plus nécessaire à S21. S'il pouvait épargner un homme à M13, il ne l'a pas fait à S21. Cet homme de sang, qui se voit dans un bureau, me confie : « Ma lance, c'est la parole. »

Je reviens sur le témoignage de ce soldat des forces spéciales. Je reprends ses phrases une deuxième fois : ceux qu'ils venaient d'arrêter, sur liste, étaient acheminés au centre de torture ; ils étaient parqués à l'arrière du camion ; aucun Khmer rouge ne devait se trouver avec eux ; le camion était bâché et roulait vers le centre ; à l'approche de celui-ci, il devait s'arrêter ; des camarades de S21 venaient

prendre possession du camion, et le conduisaient eux-mêmes à l'intérieur.

Les listes d'ennemis sont établies par l'Angkar : c'est le travail d'enquête, de vérifications,
d'arrestation ; c'est le véritable *travail de police*,
même s'il s'agit à l'évidence d'une police politique violente et aveugle. Duch, lui, réceptionne
les ennemis, organise leur torture morale et
physique. Il est en charge de la *sécurité* de l'Etat
et du parti – le Santebal. Peut-il obtenir et vérifier les aveux, lui qui ne quitte jamais son
centre ? Peut-il effectuer des recoupements, lui
qui ne confronte jamais les prisonniers ? Peut-
il analyser les listes de personnes dénoncées ?
Non. Et que penser d'aveux extorqués après
des semaines de torture ? On sait aussi que les
bourreaux exigent des prisonniers qu'ils reconnaissent qu'ils sont à la solde du KGB, de la
CIA, ou des Vietnamiens. Comme la vérité
prolétarienne est simple !

Dans un tel système, le prisonnier ne sait
rien ; le tortionnaire ne sait rien. Il ne s'agit pas
d'explorer une réalité, mais de bâtir une histoire, puis d'exterminer. Duch utilise le mot
« police », qui le rapproche du monde politique
et humain : c'est un mensonge.

Duch : « Moi qui voulais apprendre au peuple le savoir, je suis tombé bien bas. »

Un des tortionnaires de S21 cultive aujourd'hui ses légumes en toute tranquillité. Il est devenu médiateur de son village. On le consulte pour les querelles de famille ou de voisinage. Mais comment fonder une paix durable quand la véritable justice n'existe pas ? Comment envisager le destin de son pays ?

Aujourd'hui je marche dans Phnom Penh. Il n'y a pas de trottoirs, mais un jeu de bitume et de dalles poussiéreuses. Avec l'habitude, on ne trébuche plus. L'air est brûlant et le bruit ne s'y perd jamais : les camions passent, les motos dérapent, klaxonnent. Je vois défiler des visages rieurs, des garçons en jean, des jeunes filles en jupe claire et dont les tongs frôlent la chaussée. Ma nuque est moite, mes mains, ma chemise. Je fume et je pense aux miens. Je pense à ces quatre années, qui ne sont pas un cauchemar : ni rêve ni cauchemar, même si, des cauchemars, j'en fais encore. Disons que c'est un chapitre compliqué de ma vie. Et que je ne pourrai jamais pardonner. Pour moi, le pardon est très intime.

Seuls les politiques s'arrogent le droit de gracier ou de pardonner au nom de tous – ce qui est inconcevable pour un crime de masse ou un génocide. Je ne crois pas à la réconciliation par décret. Et tout ce qui se résout trop vite m'effraie. C'est la *pacification de l'âme* qui amène la réconciliation, et non l'inverse.

Je crois à la pédagogie plus qu'à la justice. Je crois au travail dans le temps, au travail du temps. Je veux comprendre, expliquer, me souvenir – dans cet ordre précisément.

Une mère apprend que tous ses enfants ont été exécutés par l'Angkar. Elle ne sait pas ce qu'on leur reproche. Elle ne sait pas comment ils sont morts. Elle ne sait pas où sont leurs cadavres. Ce sont les enfants du *kamtech*. Alors elle ramasse des pierres. Elle leste les manches de sa chemise. Les revers de son pantalon noir. Elle se fait des colliers et des bracelets de pierres. Quand elle se sent prête, elle marche lourdement vers le fleuve. Elle s'enfonce dans l'eau épaisse. Ses chevilles disparaissent. Ses cuisses. Bientôt sa taille. On ne voit plus ni son ventre ni ses épaules. C'est au tour du cou, du menton, des joues, la bouche s'efface, le front. La noyée continue sa marche au fond du fleuve. Cette histoire m'a été racontée par un paysan.

Mes films sont tendus vers la connaissance : tous reposent sur des lectures, des réflexions, un travail de recherche. Mais je crois à la forme, aux couleurs, aux lumières, au cadre, au montage. Je crois à la poésie. Cette pensée est-elle choquante ? Non. Les Khmers rouges n'ont pas tout brisé. Et nous devons réapprendre. C'est le silence qui blesse. Le silence sur les prises de sang, la vivisection, les enfants assassinés. Le silence sur les viols : quand on vit dans la cruauté, même les rapports sexuels sont cruels.

Aujourd'hui je voudrais un livre dans la douceur des mots. Comme je traverse la campagne de Battambang, la riche province d'autrefois où j'ai eu si faim, si peur, je fixe le paysage de rizières impassibles. De pauvres villages en bord de route. Des marchands d'eau qui traînent la savate. La jungle hérissée dans le ciel

blanc. Il y a maintenant des antennes parabo-
liques ; des adolescentes qui téléphonent. Où
est le passé ? Où est l'enfance ? Les larmes me
viennent. Je serre les poings.

Si certains peuvent affirmer que les chambres
à gaz nazies ont été un « détail » dans l'histoire
de la Seconde Guerre mondiale, alors tout
crime de masse est susceptible, un jour ou
l'autre, d'être considéré comme un « détail » – en
France ou ailleurs. Au Cambodge, par exemple.
Mon combat a donc été d'aller dans les détails
les plus infimes, de tout vérifier, une fois, dix
fois, cent fois ; de ne jamais renoncer à rencontrer un bourreau ou un survivant ; de ne
jamais renoncer à écouter ; à vérifier l'organisation de S21. Je veux que la vérité soit établie
et documentée. Si aucun détail de l'histoire
n'est contestable, alors ce crime de masse ne
sera jamais un « détail ».

Je n'accepte pas que les procureurs du tribunal et leurs équipes montrent la photographie d'un cadavre enflé sur un lit en fer, sans
réelle explication.

Je n'accepte pas que les procureurs diffusent

dans l'enceinte du tribunal un « documentaire-fiction », je ne vois pas d'autre nom, où l'on voit des figurants en pleine forme jouer le rôle de prisonniers de S21 – couchés et les pieds entravés, sur le sol même de S21... Manque-t-on vraiment de preuves ? Non. Il y a des dizaines de photographies prises par des « camarades » de S21. Il y a même des photographies d'un suicidé ; ou d'un prisonnier blessé par balle à la tête parce qu'il tentait de résister. Cet homme va mourir et, d'ailleurs, Duch me donne tout de suite son nom. Il me décrit « l'accident ». Quel aveu !

Un tel document doit être analysé, décortiqué, regardé dans son contexte. Ce n'est pas une preuve en soi. C'est l'histoire qu'il contient qui est une preuve, mais cette histoire ne se donne pas. Elle se cherche. Dans *La politique de la mémoire*, Raul Hilberg écrit : « Je voyais que c'était, avant tout, un objet, dont la qualité de trace tangible était immédiatement reconnaissable : l'original qu'un bureaucrate avait eu un jour en main et signé ou paraphé. Plus encore, les mots figurant sur le papier constituaient, en l'occurrence, une *action* en soi : l'accomplissement d'une fonction. S'il s'agissait d'une directive, cet original signifiait la *totalité* de l'action de l'initiateur. »

Je n'accepte pas que le procureur n'utilise pas à fond les registres si bien tenus de S21, marqués de trois couleurs, que Duch décrit fièrement devant ma caméra. Les documents ont un sens. Ils parlent. Ces registres auraient dû être présentés à l'accusé, pour qu'il s'explique. Je trouve incompréhensible que le tribunal n'ait pas appelé Nuon Chea à témoigner.

Je n'accepte pas, enfin, les images – prétendument « neutres » – tournées par les techniciens du CETC. Il n'y a pas de neutralité dans ce domaine. C'est donc un procès sans images pour un génocide sans images. Filmer un tel procès, c'est avancer dans la connaissance ; c'est être dans la réflexion sur la politique, et les hommes qui l'ont conduite ; c'est porter un regard sur l'histoire. Or ce travail n'a pas eu lieu.

En revanche, la présence de parties civiles a été importante ; tout comme la tenue du procès à Phnom Penh – et non ailleurs. C'est ainsi que les Cambodgiens se sont intéressés et ont suivi les audiences à la télévision ou dans les journaux.

Duch l'explique clairement dans le « Livre noir » : il faut que la victime elle-même croie à son aveu. Il invente l'aveu presque vrai. Si l'aveu est mensonger, quelle légitimité y a-t-il à questionner ? Et, dans le cas de Duch, à vivre au nom de l'Angkar ? C'est un sophisme hideux. Cet homme vit dans un monde où la confession qu'il acceptait devenait la vérité – au prix de quels supplices : c'est ainsi qu'il ne s'effondre pas aujourd'hui.

Si un prisonnier écrit dans une de ses confessions qu'il a menti, s'il revient sur un réseau ou sur un nom donné, s'il affirme que cette fois-ci, il va dire la vérité, la torture reprend. Jusqu'à ce que le prisonnier lui-même ne conteste plus sa propre version. La procédure constitue la vérité – même si la bouche qui parle est celle d'un déchet.

Un mystère demeure : quand Duch décide-t-il qu'il tient la « vérité » ? Pourquoi choisit-il une version plutôt qu'une autre ?

Si l'on examine en détail certains aveux dans leurs versions successives, on voit percer des petits signes de résistance – des phrases étonnantes, des formules qui reviennent. On voit percer aussi des instants de sincérité : j'ai peine à appliquer ce mot à des prisonniers dont certains étaient torturés pendant des semaines. Je songe à cette déposition qui se termine ainsi : «Je sais que je vais mourir. Je ne tiendrai pas. J'accepte la mort. Je reste un fils de l'Angkar. Vive le Parti communiste du Kampuchea démocratique ! »

Les Khmers rouges ont décimé atrocement des Chams, des Chinois, des Vietnamiens, des Khmers kroms. Mais, dans une très grande majorité des cas, ils ont tué un autre eux-mêmes. C'est pour cette raison, aussi, qu'il faut étayer l'aveu. Même le bourreau doit être convaincu qu'il participe à une mise à mort légitime : celle d'un ennemi du peuple. Je reprends la phrase de Duch : «Les camarades arrêtés étaient des ennemis, pas des hommes. »

Plusieurs témoins attestent que certains prisonniers entraient dans S21 vite conscients de ce qui les attendait, au vu des gardes, des barbelés, et criaient dans la cour en levant le

poing : « Vive le Parti communiste du Kampuchea démocratique ! »

J'ai appris récemment que des familles des
minorités du Nord, comprenant que l'arrivée des
Khmers rouges était leur fin, ont décidé de
s'enfoncer dans la forêt. Ces paysans n'ont plus
quitté la jungle impénétrable, où même les révolutionnaires ne s'aventuraient pas. Ils ont vécu
cachés, oubliés de tous. Ils ont appris à survivre
dans le dénuement, malgré les animaux sau-
vages, les serpents, les araignées, malgré le climat
et l'humidité. Ils ont cultivé ce qu'ils pouvaient.
Ils ont chassé. Mangé des écorces, des racines,
des poissons. Ils se sont soignés. Ils se sont
mariés. Ont eu des enfants. Bien sûr ils ont vécu
sans électricité, sans eau potable, sans médecin,
sans papier, sans livres. Sans nous – si j'ose dire.
Quand leurs vêtements ont été trop usés, ils s'en
sont confectionnés avec des feuilles et des lianes.
En 2009, l'un de ces rescapés s'est aventuré
hors de la jungle et s'est approché d'un village.
Il a été stupéfait de découvrir que les Khmers
rouges étaient partis. Tous ont alors quitté leur
campement.

Aux dernières nouvelles, ils ont construit des maisons dans ce village et essaient de s'accoutumer à notre monde. Pas facile. Avec la modernité, ses bizarreries, ses beautés, ses folies, ils doivent aussi réapprendre les lois, la propriété, l'argent. Ils ont vécu dans un monde âpre mais égalitaire – une perfection rousseauiste. Aujourd'hui, ils tombent souvent malades, eux qui ont survécu à trente ans de jungle.

Duch : « La voie du parti est un document intitulé *La voie politique constituant la stratégie révolutionnaire au Cambodge*. Elle a été officialisée le 30 septembre 1960. »

Duch : « Je n'étais pas un hors-la-loi, puisqu'il n'y avait pas de loi. J'étais dans la voie du parti. Après la victoire du 17 avril, nous appliquions totalement la voie du parti. On a gagné la guerre, on va en finir avec les classes bourgeoises et capitalistes, on en finira avec ces régimes. Les gens étaient envoyés à la rizière. Pas seulement les bourgeois, les capitalistes et autres hauts fonctionnaires, mais aussi les étudiants, professeurs, médecins, ingénieurs... Tous envoyés produire en province. Le but de notre révolution était d'offrir au Cambodge seulement deux classes : ouvriers et paysans. J'ai moi-même enseigné cette idéologie lors de la journée d'étude du 24 juin 1975. »

Moi : « Mais pourquoi affamer les gens ? pourquoi ne pas les soigner ? Pourquoi les éliminer ? Pourquoi tuer les enfants ? Sont-ils incompatibles avec ces deux classes ? Deux mois après la victoire, vous prépariez les gens à tuer non pas des impérialistes, mais l'ennemi. Qui est l'ennemi ? »

Duch se frotte le visage, puis il me fixe et me sourit. Comment espérer qu'il change d'attitude ? Il se considère comme révolutionnaire et veut entrer dans l'histoire à ce titre. C'est une logique. Désormais, il veut écrire son histoire, leur histoire – et ce procès est pour eux une tribune.

En première instance, puis en appel, Duch demande publiquement « qu'on le libère ». La juge interroge son avocat : « Que réclame votre client ? » L'avocat confirme : « La relaxe ». Pourquoi cet homme, qui n'a relâché personne du centre S21, qu'il a dirigé avant tant d'application, demande-t-il la relaxe ? « Je m'applique.

Je ne transgresse pas la discipline », ne cesse-t-il de répéter. « Ma femme se plaint. Je suis toujours dans mes dossiers. Je n'entends pas mon enfant qui pleure. » Un homme très occupé. Passionné par son travail.

Duch a fait volte-face. Il a rompu notre pacte de sincérité. Après les plaidoiries, il a refusé de me revoir. Peut-être n'avait-il pas envie que nous évoquions sa demande de relaxe – incompréhensible, après ce qu'il avait reconnu devant ma caméra. Peut-être ne voulait-il pas que je le questionne à nouveau. Pourtant, il déclare au tribunal que « sa porte reste ouverte à toute victime qui souhaite le rencontrer » et « qu'il souhaite dire la vérité à tous ceux qui veulent l'entendre ».

Je garde à l'esprit cette phrase, mais il y en a tant d'autres : « Certaines choses allaient au-delà de l'acceptable, pourtant je les ai faites. » J'ai donc utilisé les photographies. Les registres. Les témoignages. Le fameux « Cahier noir ». J'ai avancé des preuves. Confronté les images. Duch a une faiblesse : il ne connaît pas le cinéma. Il ne croit pas au jeu des répétitions, des croisements, des échos. Il ne sait pas que le montage est une politique et une morale. Et dans le temps, il n'y a qu'une vérité.

Il me dit : « Ah, votre père, je le connais ! » C'est un mensonge de plus : comment aurait-il pu le connaître personnellement ? Je lui réponds : « Arrêtez, monsieur Duch. Beaucoup de professeurs et d'instituteurs connaissaient le nom de mon père. »

Le bourreau ne fait pas silence. Il parle. Parle sans cesse. Ajoute. Efface. Aménage. Il bâtit ainsi une histoire, déjà une légende, un autre réel. Il se retranche dans la parole.

Je n'ai jamais haï cet homme. Il m'arrive même de rire quand ses mensonges dépassent les limites : « Vous savez, monsieur Duch, à cette époque, je vivais au Kampuchea démocratique. » Un matin, il m'a demandé : « Vous avez fait des études de psychologie ? » J'ai compris que certaines de mes questions étaient proches de celles des psychiatres qui préparaient l'expertise pour le tribunal : une Française et un Cambodgien. Sur ses rêves en particulier. J'ai donc évoqué ses rêves à nouveau, et il m'a dit : « C'est vrai, parfois, je rêve. Je vois Son Sen. Il avance vers moi. Il me parle. Il ordonne. Et c'est toujours moi qui obéis, jamais l'inverse ! » Moi : « Mais c'était votre chef ! Il était habillé ainsi dans la réalité… et vous étiez de toute façon son subordonné ! » Duch cite sans arrêt sa hiérarchie et ses « camarades interrogateurs », c'est son mode de défense continu : il n'est qu'un rouage entre les décideurs politiques et les exécutants des basses œuvres. Un homme de dossiers. Un terrible rêveur qui obéit jusque dans son rêve.

Un jour, Son Sen l'appelle sur leur ligne téléphonique sécurisée. Duch voudrait aller aux toilettes mais n'ose pas interrompre son chef. J'insiste : « Mais pourquoi vous ne lui dites pas ? » Duch : « Je n'ose pas. » Son Sen continue de parler. Quand cela devient intenable pour lui, Duch pisse sur le carrelage de son bureau, tout en poursuivant la conversation. Je lui demande : « C'est vrai ? Vous pissez par terre ? » Duch : « J'ai grandi dans l'ordre. » Et il précise en riant : « J'ai nettoyé moi-même. »

Duch a peur de son chef. Duch pisse par terre comme un enfant. Duch raconte son histoire en riant. Duch est un humain.

Qu'il soit aujourd'hui terrorisé par ses propres actes, je le comprends. Qu'il soit terrorisé de n'avoir sauvé personne, je le comprends aussi. C'est à dessein qu'il confond cette terreur d'aujourd'hui... et son esprit de décision d'alors (qu'il nomme encore, dans la langue de l'Angkar, sa « position ferme »). Mais ne pas reconnaître *dans le détail* ce qu'il a fait ou fait faire, pendant des années, l'empêche de cheminer vers la communauté humaine. Il reste loin de nous. Or j'ai cette envie qu'il approche, comme si la discussion avec moi pouvait lui donner un peu de cette humanité. Je suis très naïf. Une partie de moi est restée dans ces années.

Pendant des semaines, j'ai guetté un regard. Une parole. J'aurais renoncé à mon film pour quelques mots : mais Duch ne chemine pas.

Quand on boit l'eau des rizières, il faut une force hors du commun pour se révolter. Une interprétation, malheureusement, se répand : le crime contre l'humanité, au Cambodge, aurait été *spécifique*. En partie explicable par un certain quiétisme lié au bouddhisme. Par une tradition, aussi, de violence paysanne. Comme si ce génocide était culturel, voire prévisible.

Je crois que c'est une analyse facile… qui permet d'évacuer les fautes intellectuelles, les fautes morales, les fautes stratégiques. Avec une telle approche, il est plus aisé de passer sur le protectorat français ; l'engagement américain auprès du régime de Lon Nol, et les bombardements implacables ; la faiblesse des gouvernements successifs ; l'idéologie marxiste ; le soutien chinois. La liste est longue ! Plutôt s'intéresser aux variantes du bouddhisme qu'à l'universalité de ce crime de masse… Qu'on le veuille ou non, l'histoire du Cambodge, profondément, est la nôtre.

J'ai été stupéfait d'entendre un historien expliquer, sur une radio française, que les Cambodgiens se battaient entre eux depuis la construction d'Angkor… J'ai écrit au producteur de l'émission pour lui expliquer que ces propos étaient inacceptables – et un peu courts, quand on est face à 1,7 million de morts. Je lui

ai expliqué que les Khmers n'étaient pas une tribu anthropophage. Il ne m'a jamais répondu. C'est d'autant plus regrettable que deux extraits de mon film *S21* ont été diffusés pendant la même émission... Or j'ai toujours refusé explicitement que ce film soit découpé en morceaux sans mon accord : ma volonté pédagogique n'est pas respectée. Nous en sommes là : confusion. Ou silence. Silence pour le Cambodge.

Pour ma part, je crois à l'universalité du crime khmer rouge, de même que les Khmers rouges ont cru à l'universalité de leur utopie. Je cite Duch : « On détruit l'ancien monde pour en construire un nouveau. On veut fabriquer une nouvelle conception du monde. »

Ces dernières années, Paris est devenue comme un refuge : le ventre d'une mère. J'y trouve la bonne distance. En même temps, c'est le lieu où je fais les rêves les plus absurdes, les plus violents.

Phnom Penh est différente. C'est la ville de mon enfance, dont j'ai été chassé. Je n'ai jamais pu retourner dans la maison de mes parents, qui est occupée par d'autres aujourd'hui. Quand je suis rentré au Cambodge, au début des

années 1990, j'ai eu beaucoup de mal à me faire accepter. Je voyageais avec un passeport français car mes papiers avaient été détruits sous les Khmers rouges : j'étais considéré comme un « Cambodgien de l'étranger » – on me surveillait ; on me disait même chinois ou coréen... Aujourd'hui encore, certains me regardent bizarrement, même ceux que j'ai connus avant les années terribles. Seuls les jeunes qui travaillent avec moi m'appellent affectueusement « oncle Rithy ».

Il y a quelques années, j'ai proposé que des thèses d'université soient effectuées simultanément en français et en khmer, par des historiens français et cambodgiens. Mon idée était simple : travailler à un double point de vue, historiquement passionnant... et nécessaire ; fonder, peu à peu, une véritable école historique cambodgienne.

Les thèmes sont innombrables : la famine et l'indépendance alimentaire ; les discours de Pol Pot ; les sources du langage de l'Angkar ; le séjour des dirigeants khmers rouges en France ; le processus de déshumanisation ; M13. Mais

aussi : le traitement de la révolution khmère rouge par la presse française, en particulier dans les années 1975-1976 ; l'évocation ou l'analyse de cette « expérience » par certains intellectuels. Ou, plus simplement : la nourriture sous les Khmers rouges ; les vêtements ; les médicaments révolutionnaires ; le mystère des archives de l'Angkar. Il reste beaucoup à découvrir. Beaucoup.

A S21, chaque après-midi, Duch fait une pause. Est-ce l'angoisse ? Est-ce la folie des coups ? Est-ce le décompte des cadavres ? Est-ce tout simplement l'excès de travail ? Il verse un peu de lait de coco dans un verre de Cointreau. Je le vois à son bureau, devant une pile de dossiers ; ou adossé au mur, les yeux mi-clos ; debout près de la fenêtre ; ou sur une terrasse. Les cris n'ont pas cessé depuis le matin. Quelques maisons plus loin, on électrocute un homme.

Je pose de grands tirages photographiques sous les yeux de Duch. Il comprend tout de suite : ce sont les visages de S21, pris à l'arrivée au centre, avant les coups, avant la torture. Les femmes, les enfants, les hommes : tous ont peur. Ils ne savent peut-être pas ce qui les attend, mais ils sont tristes et sérieux. Ils sont déjà ailleurs. Duch me demande pourquoi je lui montre toujours des photos : « A quoi ça sert ? » Il a ce ton. Je lui réponds : « Mais… ils vous écoutent. Koy Tourn est là. Bophana est là. Taing Siv Leang aussi. Pour moi, ils vous écoutent. » Il faut cette simplicité face à l'immensité du crime.

Visiblement incommodé, Duch me demande : « Je peux apporter la Bible ? Je sais que nous ne sommes pas d'accord, mais je voudrais l'avoir près de moi. » Je lui rétorque : « La Bible ne vous sauvera pas. Vous devriez la laisser tranquille. » Le lendemain, il pose le livre sur la table, à sa droite : une arme contre les visages.

Les célèbres clichés pris à S21 par les photographes du régime, présents sur place pendant des années, donc forcément conscients du crime en marche, ont été exposés à l'étranger. Sans explication véritable. Donnant le sentiment d'une œuvre d'art, d'une œuvre organisée : tous ces visages sombres, côte à côte, sont l'humanité même. Ils sont parmi nous. Ils nous observent. C'est sans doute vrai à S21 aujourd'hui, lieu de mémoire et de méditation : mais ça ne l'est pas dans un grand musée, si leur statut et leur histoire ne sont pas expliqués. Laideur de la beauté.

Ang Saroeun, un photographe khmer rouge, a été envoyé « au front » pour photographier les digues en construction. Il braque son objectif vers des gens affamés. Met au point. Il est alors arrêté et envoyé à S21, où il est torturé puis exécuté.

J'interroge Nhiem Ein, un des photographes de S21, qui a vu passer devant son objectif des milliers de prisonniers promis à la torture et à la mort : « Qu'est-ce qu'une bonne photographie ? » Il me répond : « Il faut que les prunelles soient nettes. » J'hésite : « Mais pourquoi ? » Il me fixe : « Pour pouvoir les retrouver, s'ils s'enfuient... »

Duch fait venir Srieng, un autre photographe du centre, et lui demande de photographier la lune pour lui ; puis une exécution ; puis sa femme et ses enfants.

Srieng a également photographié la famine, lors d'un déplacement en province. Il montre des images d'enfants affamés à Duch, qui ne dit rien. Terrifié, Srieng détruit ses pellicules et ses tirages.

Duch évoque ses compagnons de prison. Ils se parlent. Se promènent ensemble. Ieng Sary fait porter un plateau de fruits à Nuon Chea. Et même, précise Duch : « Nuon Chea aime raconter des blagues. »

L'avocat français de Duch lui a offert une anthologie de poèmes : *O ma mémoire – La poésie, ma nécessité*. Poèmes français, anglais, allemands. Dans son introduction, Stéphane Hessel, qui a survécu aux camps de Buchenwald et de Dora, qui a échappé de peu à la pendaison, explique comment ces poèmes l'ont aidé.

Je filme Duch lisant ce recueil, mais je suis mal à l'aise. J'hésite devant ce beau livre, en de telles mains. Est-ce la conversion du bourreau en victime ? Est-ce le cheminement vers l'humanité ? Ou est-ce la mise en scène de Duch ?

Celui-ci explique s'être converti au christianisme. C'est l'Eglise qui a fait chuter le mur de Berlin, me dit-il avec conviction. C'est Jean-Paul II qui a vaincu le communisme. Duch : « Le communisme m'a trahi, c'est donc tout naturel que je me tourne vers le christianisme. »

Il s'est fait baptiser dans une rivière, mais sous un faux nom.

Duch lit la Bible chaque jour. Semble méditer. Reçoit la visite régulière de pasteurs évangéliques. Si Jésus pardonne sur la croix au mauvais larron, lui-même sur la croix, que ne ferait-il pour Duch, qui reconnaît tout et veut tout endosser ? Dans cette lignée coupable mais glorieuse, mais sauvée, Duch glisse, les yeux au ciel : « J'offre mon cœur brisé, mon tourment. » Aussi : « J'assume l'entière responsabilité de S21. » Il me revient qu'il m'a dit un jour : « Mes subordonnés sont ma chair et mon sang », comme si tout son propos était désormais travaillé par le rachat. Comme si porter la souffrance qu'on a causée, et celle du monde en général, vous plaçait dans le salut. A la droite du père, non dans le crime.

Moi : Pourquoi Dieu ne vous a-t-il pas ouvert les yeux quand vous accomplissiez votre tâche horrible ?

Duch : Laissez Dieu de côté. Et ne vous moquez pas de la religion.

Je ne crois pas avoir écrit que le Kampuchea démocratique a conservé son siège à l'ONU jusqu'en 1991 ; ni que Pol Pot est mort dans la jungle en 1998. Dans la jungle, et dans son lit. Et il semble si difficile de juger avec force cinq grands dirigeants, aujourd'hui incarcérés à Phnom Penh. La France n'a toujours pas établi ce qui était advenu, dans l'enceinte même de son ambassade, en avril 1975 ; et pourquoi elle a livré aux Khmers rouges de hauts responsables cambodgiens promis à la mort. Quant aux Etats-Unis et à la Chine, diront-ils les liens qu'ils ont conservés, si longtemps, avec ces criminels ?

« En mai 1980, la CIA publia un "rapport démographique" sur le Cambodge affirmant qu'il n'y avait eu *aucune* exécution au cours des deux dernières années du régime de Pol Pot (en 1977-1978, les exécutions avaient fait environ un demi-million de victimes). » Je trouve ces lignes terribles dans *Le génocide au Cambodge, 1975-1979. Race, idéologie et pouvoir.* L'auteur, Ben Kiernan, professeur d'université à Yale, est le fondateur du remarquable Programme international sur le génocide au Cambodge.

Je lis les textes de Charlotte Delbo sur la déportation, magnifiques dans leur simplicité. Voici les dernières lignes de *Mesure de nos jours* (le troisième tome d'*Auschwitz et après*) :

Un homme qui meurt pour un autre homme
cela se cherche
ne dis plus cela Mendiant
ne le dis plus

J'aurais voulu la connaître. La filmer. J'aurais voulu faire un portrait d'elle. Je crois que sa présence m'aurait encouragé. Je sais qu'elle portait au poignet le matricule 31661. Je sais qu'elle a survécu à Auschwitz et à Ravensbrück. Mais je suis venu trop tard : elle est morte en 1985.

Un jour, Duch me glisse : « Le tribunal, Dieu dit que c'est l'affaire des hommes. Ma chair et mon sang, les hommes en font ce qu'ils veulent. Mon âme, Dieu l'a déjà reconnue. » Ses yeux sont levés vers le ciel. Je vois le jeune homme qu'il a été, au lycée Sisowath et dans la jungle. Quand ma caméra tourne, sa voix est douce : le tueur n'est jamais loin.

Jacques Lacan : « Le monde est un enfer pour l'homme qui ne croit pas au diable. » Duch n'est ni diable ni dieu. Mais qu'il soit homme, pleinement homme, ne lui retire pas son unicité. Au contraire. Il est cet homme qui ne peut être un autre – et qu'un autre ne peut être.

Après le départ des Khmers rouges de Phnom Penh, notre grande maison a été photographiée. Récemment, on m'a montré cette image, vide, énigmatique. Cette haute demeure inachevée, c'est mon enfance. En bas, nous avions installé des poules, pour avoir des œufs en quantité. Des canards, aussi. Mon frère s'occupait de la basse-cour et ma mère du potager derrière la maison. Nous avions de la menthe, des piments, des manguiers, des tomates, de la citronnelle. Ma mère préparait la saumure. Elle séchait le poisson.

J'ai le souvenir que nous passions avec elle de longs après-midi à la cuisine pour préparer la fête des morts. Les casseroles s'empilaient sur les étagères. Une grosse marmite de soupe mijotait. Il y avait aussi du porc découpé, des œufs au caramel, des poulets bouillis suspendus à une tige de bambou, des gâteaux de riz farcis à la banane. Nos cousins de la campagne apportaient des pommes-cannelles et des fruits du jacquier. Il y en avait tant qu'on ne savait plus quoi en faire. On profitait de notre garde-manger de bois. On riait.

J'arrive à la fin de ce livre : j'ai beaucoup raconté. J'ai vu les visages des miens. J'ai montré un homme au destin unique. Le tribunal l'a condamné à une peine très relative. S'il était un révolutionnaire et un homme courageux, il aurait dit la vérité. Ce n'est pas à la justice de le faire – la justice n'est pas la vérité – mais à

Duch seul. Dire la vérité, puis mourir, c'est cheminer vers les hommes.

Duch est à sa place. Nul ne peut la prendre.

J'ai raconté le monde d'avant : c'est afin que sa mauvaise part ne revienne plus. Qu'elle soit dans nos mémoires et dans les livres, dans la chair des survivants, dans les stèles des disparus : et qu'elle y reste. J'ai affronté cette histoire avec l'idée que l'homme n'est pas foncièrement mauvais. Le mal n'est pas nouveau ; le bien non plus – mais, je l'ai écrit, il y a aussi une banalité du bien ; et une quotidienneté du bien.

Quant à la bonne part, l'enfance, le rire de mes sœurs, le silence de mon père, la course de mes petits neveux, le courage et la bonté de ma mère, ce pays aux visages de pierres, les idées de justice, de liberté, d'égalité, le goût de la connaissance, l'éducation, elle ne peut être effacée. Ce n'est pas un temps révolu, c'est un effort et un travail : c'est le monde humain.

Bibliographie

Pour Marx, Louis Althusser, La Découverte, 2005.

L'espèce humaine, Robert Antelme, Gallimard, « Tel », 1979.

Les origines du totalitarisme, Gallimard, « Quarto », 2002.

Eichmann à Jérusalem. Rapport sur la banalité du mal, Hannah Arendt, Gallimard, « Folio histoire », 1991.

La crainte des masses : politique et philosophie avant et après Marx, Etienne Balibar, Galilée, 1997.

A history of Cambodia, fourth edition, David Chandler, Westview Press, 2007.

S21 ou le crime impuni des Khmers rouges, David Chandler, Autrement, « Frontières », 2002.

After the cataclysm. Postwar Indochina & the reconstruction of imperial ideology (the political economy of human rights : volume II), Noam Chomsky et Edward S. Herman, Spokesman Books, 1980.

La vérité par l'image. De Nuremberg au procès Milosevic, Christian Delage, Denoël, « Médiations », 2006.

Auschwitz et après (I, II et III), Charlotte Delbo, Editions de Minuit, 1970 et 1995.

Le procès des Khmers rouges. Trente ans d'enquête sur le génocide cambodgien, Francis Deron, Gallimard, « La suite des temps », 2009.

Penser la Révolution française, François Furet, Gallimard, « Folio histoire », 1985.

Les chuchoteurs. Vivre et survivre sous Staline, Orlando Figes, Denoël, « Médiations », 2009.

Dans le nu de la vie. Récits des marais rwandais, Jean Hatzfeld, Seuil, « Fictions & Cie », 2000.

Une saison de machettes, Jean Hatzfeld, Seuil, « Fictions & Cie », 2003.

O ma mémoire – La poésie, ma nécessité, Stéphane Hessel, Seuil, 2006.

La destruction des juifs d'Europe, Raul Hilberg, Nouvelle édition augmentée et définitive, Gallimard, Folio, 2006.

La politique de la mémoire, Raul Hilberg, Gallimard, « Arcade », 1996.

Le dictionnaire des Khmers rouges, Solomon Kane, Aux lieux d'être, 2007.

Le génocide au Cambodge, 1975-1979. Race, idéologie et histoire, Ben Kiernan, Gallimard, « NRF essais », 1998.

LTI. La langue du IIIe Reich, Victor Klemperer, Pocket, « Agora », 2003.

Le lièvre de Patagonie, Claude Lanzmann, Gallimard, 2009.

Si c'est un homme, Primo Levi, Robert Laffont, « Pavillons », 1999.

Le système périodique, Primo Levi, Livre de poche, « Biblio », 2003.

L'élimination

La trêve, Primo Levi, Grasset, « Les Cahiers rouges », 2002.

Le « petit livre rouge » de Pol Pot ou les Paroles de l'Angkar entendues dans le Cambodge des Khmers rouges du 17 avril 1975 au 7 janvier 1979, Henri Locard, L'Harmattan, 1996.

Soumission à l'autorité, Stanley Milgram, Calmann-Lévy, 1990.

Dans l'enfer de Tuol Sleng. L'inquisition khmère rouge en mots et en tableaux, Vann Nath, Calmann-Lévy, 2008.

Cambodge année zéro, François Ponchaud, Julliard, 1979, puis Kailash, « Civilisations & société », 1998.

Paroles, Jacques Prévert, Gallimard, « Folioplus classiques », 2004.

Au fond des ténèbres. Un bourreau parle : Franz Stangl, commandant de Treblinka, Gitta Sereny, Denoël, « Médiations », 2007.

Pol Pot, Anatomie d'un cauchemar, Philip Short, Denoël, « Grand public », 2007.

Le roi s'enfuit. Varennes et l'origine de la Terreur, Timothy Tackett, La Découverte, 2007.

Face à l'extrême, Tzvetan Todorov, Seuil, « La couleur des idées », 1991.

Les exécuteurs. Des hommes normaux aux meurtriers de masse, Harald Welzer, Gallimard, « NRF essais », 2007.

La nuit, Elie Wiesel, Editions de Minuit, « Double », 2007.

Composé par Nord Compo Multimédia
7, rue de Fives, 59650 Villeneuve-d'Ascq

ACHEVÉ D'IMPRIMER
SUR ROTO-PAGE
PAR L'IMPRIMERIE FLOCH
À MAYENNE EN JANVIER 2012

N° d'édition : 17095 – N° d'impression : 81523
Première édition, dépôt légal : janvier 2012
Nouveau tirage, dépôt légal : janvier 2012
Imprimé en France